Diogenes Taschenbuch 21485

Georges Simenon

Maigret macht Ferien

Roman

Aus dem Französischen von Markus Jakob

Diogenes

Titel der Originalausgabe:
›Les vacances de Maigret‹

Die deutsche Erstausgabe erschien
1957 unter dem Titel
›Maigret nimmt Urlaub‹
Die vorliegende Übersetzung wurde für
die Neuausgabe 2001 überarbeitet
Umschlagfoto:
Edouard Boubat,
›Sophie, Collioure, France‹, 1954

Diogenes Verlag AG Zürich
www. diogenes.ch
50/05/36/4
ISBN 3 257 21485 5

I

Eine Gasse, so eng wie alle Gassen im älteren Teil von Les Sables-d'Olonne, unregelmäßig gepflastert und mit ganz schmalen Bürgersteigen, so daß Fußgänger, die aneinander vorbei wollten, immer auf die Straße ausweichen mußten. Das Tor an der Ecke war ein prächtiges zweiflügliges Portal, von einem tiefen, prunkvollen Grün, in dem sich das Licht spiegelte, mit zwei blankgeputzten Messingklopfern, wie man sie nur noch bei Landnotaren und in Klöstern sieht.

Davor standen zwei große, glänzende Wagen geparkt, die den gleichen Eindruck von Reinlichkeit und Wohlstand vermittelten. Maigret kannte sie, es waren die Autos zweier Chirurgen.

»Chirurg hätte ich auch werden können«, dachte er.

Und einen solchen Wagen fahren. Vielleicht nicht gerade Chirurg, aber tatsächlich wäre er beinahe Arzt geworden, hatte sein Medizinstudium abgebrochen und dachte nun manchmal mit Sehnsucht daran zurück. Wäre sein Vater nicht drei Jahre zu früh gestorben...

Bevor er an die Tür trat, zog er die Uhr aus der Tasche: Der Zeiger stand auf drei. Im selben Augenblick schlug, ein dünnes Läuten nur, die Glocke der Kapelle; dann fiel, man hörte es über die Dächer der kleinen Häuser der Stadt hinweg, mit vollerem Klang die der Kirche Notre-Dame ein.

Er seufzte und läutete an der Tür. Er seufzte, weil es lächerlich war, jeden Tag zur gleichen Zeit die Uhr aus der Tasche zu ziehen. Und weil es nicht weniger lächerlich war, pünktlich um drei Uhr zu kommen, als hinge das Schicksal der Welt davon ab. Und schließlich seufzte er, weil er nun, während er wartete, daß die Tür aufging – geräuschlos, von selbst, dank eines gut geölten, reibungslosen Mechanismus –, wie schon an den Tagen zuvor ein anderer werden würde.

Kein anderer Mensch, das nicht. Seine Schultern waren weiterhin die schweren Schultern Kommissar Maigrets, und seine Gestalt blieb so gewichtig, wie sie nun einmal war.

Kaum hatte er jedoch einen Fuß in den breiten, hellen Flur gesetzt, kam er sich selbst wie ein kleines Kind vor, wie der kleine Maigret, der sich einst, in seinem Heimatdorf im Allier, auf Zehenspitzen und mit angehaltenem Atem vor Morgengrauen in die Sakristei geschlichen hatte, um sich dort, ein rotnasiges Kerlchen mit aufgeschürften Händen, sein Ministrantengewand anzulegen.

Die Stimmung hier war ähnlich. Anstatt nach Weihrauch duftete es süßlich nach Arzneimitteln. Aber es war nicht der widerliche Geruch der Krankenhäuser, es war etwas Unbestimmbares, etwas Überfeinertes, *Köstliches.* Man ging hier auf federnd weichem Linoleum, wie er es noch nie gesehen hatte. Auch die Wände, mit Ölfarbe gestrichen, schienen glatter als irgendwo sonst, wie weiß eingesalbt. Und eine so laue Luft, eine so vollkommene Stille gab es ansonsten nur noch in Klöstern.

Er bog mechanisch nach rechts ab und murmelte mit einer leichten Verbeugung, wie einst der Chorknabe vor dem Altar, seinen Gruß:

»Guten Tag, Schwester ...«

In einem blitzblanken hellen Büro, durch eine Schalterscheibe von ihm getrennt, saß mit dem Häubchen auf dem Kopf vor einer Kartei eine Schwester, die ihn anlächelte und sagte:

»Guten Tag, Monsieur 6... Ich frage gleich nach, ob Sie hinaufdürfen. Es geht ihr immer besser, unserer lieben Patientin ...«

Die hier, das war Schwester Aurélie. Im gewöhnlichen Leben wäre sie vermutlich eine fünfzigjährige Frau gewesen, aber unter der weißen Haube wirkte ihr Gesicht bonbonglatt und alterslos.

»Ja, bitte?« sagte sie mit gedämpfter Stimme in die Sprechmuschel. »Spreche ich mit Schwester Marie des Anges? Ich habe Monsieur 6 hier bei mir ...«

Maigret ärgerte sich nicht, er wurde nicht einmal ungeduldig.

Weiß Gott, ob dieses tägliche Zeremoniell nötig war. Man erwartete ihn oben. Man wußte, daß er Punkt drei kam. Und den Weg in den ersten Stock fand er auch allein.

Aber nein, die blieben die Pedanten, die sie waren. Schwester Aurélie lächelte ihm zu, und er schaute zur Treppe, deren Stufen mit einem roten Läufer bedeckt waren und wo jeden Augenblick Schwester Marie des Anges erscheinen mußte.

Auch sie lächelte ihm entgegen, die Hände in den weiten Ärmeln ihrer grauen Tracht.

»Wollen Sie so gut sein, Monsieur 6?«

Nun würde sie ihm gleich zuflüstern, als sei es ein Geheimnis oder eine überwältigende Neuigkeit:

»Es geht ihr immer besser, der lieben Patientin...«

Er ging auf Zehenspitzen die Treppe hinauf und wäre wahrscheinlich errötet, wenn unter seinem Gewicht zufällig eine Stufe geknarrt hätte. Er hielt sogar beim Sprechen den Kopf etwas abgewandt, wegen der leichten Fahne, die vom gewohnten Calvados nach dem Mittagessen herrührte.

Die Sonne warf wie auf manchen Heiligenbildern schräge Lichtbündel auf die Wand des Gangs. Hie und da kam ihnen ein Rollbett mit einer Kranken entgegen, die man zum Operationssaal schob und von der er nur den starren Blick im Gedächtnis behielt.

Wie stets kam ihm Schwester Aldegonde bis zur Schwelle des großen Zwanzig-Betten-Saals entgegen, wie zufällig, als hätte sie dort etwas zu tun, nur um ihm im Vorübergehen mit unterwürfigem Lächeln zu sagen:

»Guten Tag, Monsieur 6...«

Ein paar Schritte weiter stieß Schwester Marie des Anges, indem sie zurücktrat, die Tür mit der Nummer 6 auf.

Aufrecht im Bett sitzend, mit einem komischen Ausdruck auf dem etwas blassen Gesicht, blickte ihm eine Frau entgegen. Es war Madame Maigret, und immer sah sie aus, als wollte sie ihm sagen:

›Mein armer Maigret, wie hast du dich doch verändert...‹

Warum nur schlich er weiter auf Zehenspitzen, sprach mit gedämpfter Stimme, die so gar nicht zu ihm passen wollte, und bewegte sich immer noch so behutsam, als dürfe er ja kein Porzellan zerschlagen? Er küßte sie auf die Stirn, sah die Orangen und Kekse auf dem Nachttisch und auf der Bettdecke eine Strickarbeit, die ihn unweigerlich in Zorn versetzte.

»Schon wieder?«

»Schwester Marie des Anges hat mir erlaubt, ein wenig zu stricken...«

Das war nicht der einzige feste Brauch. Zum Beispiel galt es nun, die alte Dame im Nachbarbett zu begrüßen, denn es war kein Einzelzimmer zu bekommen gewesen.

»Guten Tag, Mademoiselle Rinquet.«

Sie schaute ihn mit kleinen, lebhaften und harten Augen an. Als machten seine Besuche sie wütend. Die ganze Zeit über, während er blieb, behielt sie diesen giftigen Ausdruck.

»Setz dich, mein armer Maigret...«

War nicht sie die Kranke? Hatte nicht sie sich einer sofortigen Operation unterziehen müssen, drei Tage nach ihrer Ankunft in Les Sables, wo sie ihre Ferien verbringen wollten? Aber nein, er war der ›arme‹ Maigret.

Es war viel zu heiß. Um nichts in der Welt hätte er jedoch sein Jackett ausgezogen, von Zeit zu Zeit kam ja Schwester Marie des Anges herein, weiß Gott wozu, um ein Glas Wasser woanders hinzustellen, ein Thermometer oder sonst irgendwas zu bringen. Sie versäumte nicht, jedesmal mit einem Seitenblick auf Maigret eine Entschuldigung zu murmeln:

»Verzeihung...«

Und jeden Tag erkundigte sich Madame Maigret:

»Was hast du gegessen?«

Die Frage war gar nicht so schlecht. Was hätte er sonst tun können, außer essen und trinken? Ehrlich gesagt, hatte er sein Lebtag noch nie so viel getrunken.

Am Tag nach der Operation hatte der Chirurg empfohlen:

»Bleiben Sie nicht länger als eine halbe Stunde.«

Das war nun zur Gewohnheit geworden, zum festen Brauch. Er blieb eine halbe Stunde. Er hatte nichts zu sagen. In Anwesenheit des zürnenden alten Fräuleins bekam er einfach den Mund nicht auf. Was aber erzählte er seiner Frau eigentlich normalerweise, wenn er mit ihr allein war? Heute stellte er sich unwillkürlich diese Frage. Nichts, im Grunde. Warum fehlte sie ihm denn so, den lieben langen Tag?

Also tat er nichts anderes, als zu warten; zu warten, bis die halbe Stunde herum war. Nach einer Weile griff Madame Maigret zu ihrem Strickzeug, um sich mit einer Beschäftigung aus ihrer Verlegenheit zu helfen. Da sie Tag und Nacht die Anwesenheit Mademoiselle Rinquets ertragen mußte, nahm sie auf sie Rücksicht. Wenn sie etwas erzählte, beeilte sie sich hinzuzufügen:

»Nicht wahr, Mademoiselle Rinquet?«

Worauf sie Maigret zuzwinkerte. Er erriet, was das heißen sollte. Die Frauen mögen einander ihre kleinen Mißlichkeiten nicht vor Augen führen, besonders Madame Maigret nicht, und so, nebeneinander ans Bett gefesselt, erst recht nicht.

»Ich habe meiner Schwester eine Karte geschrieben. Kannst du sie bitte zur Post bringen?«

Er hatte die Karte, auf der die Klinik mit ihrer hübschen weißen Fassade und dem grünen Portal abgebildet war, in die linke Tasche seines Jacketts gesteckt.

So ein blödes Detail. In die linke Tasche? In die rechte? Die Frage sollte ihm am selben Abend um elf Uhr noch zu schaffen machen.

Seit Jahren, um nicht zu sagen von jeher, hatte jede seiner Taschen einen klar bestimmten Zweck. In die linke Hosentasche kamen der Tabakbeutel und das Taschentuch – so daß seine Taschentücher immer voller Tabakkrümel waren. Rechts die beiden Pfeifen und das Kleingeld. Hinten links die Brieftasche, die immer mit unnützen Papieren vollgestopft war und die eine Gesäßhälfte dicker als die andere erscheinen ließ.

Nie hatte er Schlüssel dabei. Nahm er zufällig welche mit, verlor er sie. In die Jackentaschen steckte er fast nichts, höchstens eine Schachtel Streichhölzer in die Tasche rechts.

Zeitungen oder Briefe, die er einwerfen sollte, kamen deshalb in die Tasche links.

Ob er das auch heute so gemacht hatte? Wahrscheinlich schon. Er hatte neben dem Milchglasfenster gesessen. Schwester Marie des Anges war zwei- oder dreimal hereingekommen und hatte jedesmal einen verstohlenen, aber doch nachdrücklichen Blick in seine Richtung geworfen. Sie war noch sehr jung; ein rosiges, faltenloses Gesicht.

Ein Dummkopf hätte sich vielleicht in der Annahme gefallen, sie sei in ihn verliebt, so eilig hatte sie es, ihn oben an der Treppe abzuholen, und so linkisch stellte sie sich an, wenn er sich im Zimmer aufhielt.

Er wußte sehr wohl, daß es nicht das war, sondern ganz einfach Unbedarftheit, kleinmädchenhafte Naivität.

Schon dieser Einfall von ihr, ihn Monsieur 6 zu nennen. Weil ihm die Neugier der Leute zuwider war und er es nicht mochte, wenn man seinen Namen überall herumposaunte. Er war schließlich auf Urlaub, oder etwa nicht?

Vielleicht konnte er es einfach nicht leiden, Ferien zu haben. Dabei stöhnte er jahrein jahraus:

»Hätte ich doch endlich mal ein paar ruhige Tage, eine unausgefüllte Stunde nach der andern, und könnte mit jeder anfangen, wonach mir gerade der Sinn steht...«

Stunden, über die er nach Lust und Laune verfügen würde, Tage ohne irgendwelche Termine, ohne jegliche Verpflichtung. In Paris, in seinem Büro am Quai des Orfèvres, war ihm das wie ein unvorstellbares Glück erschienen.

War es seine Frau, die ihm fehlte?

Nein. Er kannte sich. Er war übler Laune, er war ungehalten. Er wußte im Grunde genau, daß es ihm mit diesen Ferien nicht anders als mit andern gehen würde. In einem halben Jahr, in einem Jahr würde er denken:

»Gott, was war ich glücklich in Les Sables...«

Und diese Klinik, in der er sich so unbehaglich fühlte, würde ihm rückblickend paradiesisch vorkommen, und beim Gedanken an Schwester Marie des Anges mit ihrem treuherzigen Gesicht, das so leicht errötete, würde er ganz gerührt sein.

Nie zog er seine Uhr hervor, ehe er nicht die kleine Glocke der Kapelle halb vier schlagen hörte. Er tat sogar, als hätte er sie nicht gehört. Ließ sich Madame Maigret täuschen? Es war an ihr, die Worte auszusprechen:

»Es ist Zeit, Maigret...«

»Ich rufe dich morgen früh an«, ließ er, während er sich erhob, verlauten, als handelte es sich um eine Neuigkeit.

Er rief jeden Morgen an. Im Zimmer gab es kein Telefon, aber Schwester Aurélie am Empfang antwortete:

»Unsere liebe Patientin hat eine ausgezeichnete Nacht verbracht...«

Gelegentlich fügte sie hinzu:

»Der Herr Pfarrer wird ihr nachher Gesellschaft leisten...«

Seine Tage verliefen geregelter als die eines Zuchthäuslers. Verpflichtungen waren ihm zutiefst zuwider. Beim bloßen Gedanken, sich zu einer bestimmten Zeit da oder dort einfinden zu müssen, begann er zu fluchen. Nun hatte er sich aber zu guter Letzt selbst einen Zeitplan geschaffen, den er peinlicher einhielt als ein Zug.

Wann genau mochte ihm der Zettel in die Tasche gesteckt worden sein, in seine linke Jackentasche?

Es war ein gewöhnlicher Zettel, kariert, Glanzpapier, vermutlich aus einem Notizbuch gerissen. Er war mit Bleistift beschrieben, in einer regelmäßigen, wie ihm schien, weiblichen Schrift.

Haben Sie bitte Erbarmen und suchen Sie die Patientin in Zimmer 15 auf.

Eine Unterschrift fehlte. Nichts als die paar Worte. Nun hatte er ja die Ansichtskarte seiner Frau in die linke Tasche gesteckt. War der Zettel schon darin gewesen? Nicht auszuschließen. Denn er hatte seine Hand nicht unbedingt sehr tief in die Tasche gesteckt.

Aber nachher, als er die Karte in den Briefkasten gegenüber dem Markt geworfen hatte?

Vor allem das Wort Erbarmen irritierte ihn.

Weshalb sollte er Erbarmen haben? Wenn ihn jemand sprechen wollte, konnte er es ihm einfach sagen. War er vielleicht der Papst? Es konnte doch jeder mit ihm reden.

Erbarmen ... Das paßte zu der süßlichen Atmosphäre, in der er jeden Nachmittag versank, zu den wie mit dem Radiergummi verwischten lächelnden Mündern der Schwestern, zu den gezierten Seitenblicken von Schwester Marie des Anges.

Nein! Er zuckte die Achseln. Er konnte sich kaum vorstellen, daß Schwester Marie des Anges ihm einen Zettel zuschob. Dann schon eher Schwester Aldegonde, die es immer einzurichten verstand, sich gerade dann im Flur vor dem großen Saal aufzuhalten, wenn er vorbeikam. Schwester Aurélie wiederum war immer durch den Schalter von ihm getrennt.

Was nicht ganz stimmte. Eine kleine Einzelheit fiel ihm wieder ein. Beim Hinausgehen hatte sie vor ihrem Büro gestanden und ihn bis zur Tür begleitet.

Warum nicht auch die alte Mademoiselle Rinquet in Betracht ziehen, wenn er schon dabei war? Er hatte auch nahe an ihrem Bett gestanden. Und dann war er auf der Treppe Doktor Bertrand begegnet ...

Er wollte nicht darüber nachdenken. Im übrigen war das alles völlig belanglos. Um halb elf Uhr abends hatte er den Zettel gefunden. Er war eben in sein Zimmer im Hotel ›Bel Air‹ hinaufgegangen. Wie üblich leerte er, bevor er sich auszog, seine Taschen und legte den Inhalt auf die Kommode.

Wie schon die ganzen letzten Tage hatte er auch heute viel getrunken. Es war nicht seine Schuld. Nicht vorsätzlich. Die Tage in Les Sables ließen sich einfach so an.

So mußte er zum Beispiel, wenn er gegen neun Uhr vormittags die Treppe herunterkam, schon gleich etwas trinken.

Um acht Uhr brachte ihm Julie, die kleinere und dunklere der beiden Zimmermädchen, den Kaffee ans Bett. Warum gab er vor zu schlafen, wo er doch seit sechs Uhr früh wach lag?

Noch so ein Tick. Urlaub, das hieß bis in den hellen Morgen hinein schlafen. Dreihundertzwanzig Mal im Jahr, oder noch öfter, wenn er sich mit dem ersten Morgengrauen erhob, nahm er sich vor:

»Wenn ich erst in den Ferien bin, dann werde ich so richtig ausschlafen!«

Sein Zimmer lag zum Meer hin. Es war August. Er schlief bei offenem Fenster. Die roten Vorhänge aus altem Rips ließen sich nicht ganz schließen, und die Sonne holte ihn, zusammen mit den auf den Strand auflaufenden Wellen, aus dem Schlaf.

Kurz darauf legten die im Nebenzimmer zur Linken los, die Dame von Nummer 3 mit den vier Kindern, zwischen sechs Monaten und acht Jahren alt, die alle im selben Zimmer schliefen.

Eine Stunde lang nichts als Gezeter und Gejammer, ein dauerndes Hin und Her. Er konnte sich die Frau vorstellen, wie sie sich, halb angezogen, barfuß in alten Pantoffeln, die Haare aufgelöst, mit der quengelnden Brut herumschlug – den einen in die Ecke steckte, den andern auf dem Bett festzuhalten versuchte, den Ältesten ohrfeigte, worauf dieser zu heulen begann, wie sie dann nach dem unauffindbaren Schuh des Mädchens fahndete und schließlich daran verzweifelte, je den Kocher in Gang zu bringen, auf dem sie die Flasche für das Jüngste wärmen mußte und dessen scharfer Spiritusgeruch unter der Verbindungstür hindurch bis an sein Bett drang.

Die beiden Alten rechterhand, das war wieder ein anderes Theater. Sie redeten ohne Unterlaß, mit gedämpften Stimmen, so eintönig, daß man die des Mannes von der der Frau nicht mehr zu unterscheiden vermochte und hätte meinen können, sie leierten Psalmen herunter.

Dann galt es zu warten, bis das Bad auf der Etage frei wurde, auf die Geräusche des Abflusses und der Wasserspülung zu horchen. Maigret hatte einen kleinen Balkon. Dort vertrieb er sich die Zeit ein wenig, noch im Morgenrock, und die Aussicht war wirklich schön, der weite, blendend helle Strand, und das Meer mit weißen und blauen Segeln übersät. Er sah zu, wie die ersten gestreiften Sonnenschirme aufgestellt wurden und wie die ersten Kinder in ihren roten Badeanzügen ankamen.

Wenn er hinausging, frisch rasiert, noch eine Spur Schaum an den Ohren, war er schon bei der dritten Pfeife.

Was bewog ihn, auf Nebenwegen hinauszugehen? Es gab keinen Anlaß dazu. Er hätte wie alle andern den hellen

Speisesaal durchqueren können, der gerade von Germaine, dem Zimmermädchen mit dem unwahrscheinlichen Busen, gebohnert wurde.

Aber nein. Er nahm den Weg durch das Eßzimmer der Wirtsleute, dann stieß er die Küchentür auf. Um diese Zeit trug Madame Léonard ihre Brille und besprach mit dem Koch den Küchenzettel. Unweigerlich tauchte gerade Monsieur Léonard aus dem Keller auf. Zu welcher Tageszeit auch immer, stets sah man ihn aus dem Keller kommen, und doch machte er einen ziemlich nüchternen Eindruck.

»Schönes Wetter heute, Herr Kommissar...«

Monsieur Léonard war hemdsärmlig und trug Pantoffeln. Schüsseln voller Erbsen, frisch geschälter Karotten, Porree und Kartoffeln standen herum. Auf der weißen Tischplatte blutige Fleischstücke, daneben Seezungen und Steinbutte, die darauf warteten, geschuppt zu werden.

»Einen kleinen Schluck Weißen, Herr Kommissar?«

Der erste des Tages, offeriert vom Wirt. Es war übrigens ein ausgezeichneter leichter Weißwein, der ins Grünliche hinüberspielte.

Maigret konnte sich ja nicht gut zwischen all die Mamas an den Strand setzen. Er schlenderte die Uferpromenade entlang, den Remblai, blieb hin und wieder stehen, um das Meer zu betrachten und die bunten Gestalten, die sich immer zahlreicher zwischen die Wellen am Ufer mischten. Dann, auf der Höhe des Stadtzentrums angekommen, bog er nach rechts ab und ging durch eine enge Gasse in Richtung Markthalle.

Er ging so gemächlich, so besonnen zwischen den Ständen umher, als müßte er vierzig Personen ernähren. Am längsten verweilte er vor den noch zappelnden Fischen und den Schalentieren, hielt einem Hummer ein Streichholz hin, der auch prompt mit seinen Scheren danach griff...

Ein zweiter Weißwein. Denn es gab da, gerade gegenüber, eine kleine Kneipe, zu der es eine Stufe hinunterging und die gleichsam die Verlängerung des Markts bildete, dessen Wohlgerüche bis zu ihr drangen.

Anschließend ging er an der Kirche Notre-Dame vorbei, um seine Zeitung zu kaufen. Um sie zu lesen, würde er doch kaum auf sein Zimmer gehen?

Er kehrte zum Remblai zurück und setzte sich auf die Terrasse eines Cafés, stets an denselben Tisch. Er zögerte auch jeweils einen Augenblick, wenn der Kellner die Bestellung aufnahm. Als würde er je etwas anderes trinken!

»Ein Glas Weißwein...«

Es hatte sich nun einmal so ergeben. Dabei trank er manchmal monatelang überhaupt keinen Weißwein.

Um elf Uhr ging er ins Café hinein, um die Klinik anzurufen, um zu hören, wie Schwester Aurélie flötete:

»Unsere liebe Patientin hat eine ausgezeichnete Nacht verbracht...«

Auf die Art und Weise hatte er sich seinen Tagesablauf eingerichtet, dieses und jenes Fleckchen ausgesucht, wo er sich zu bestimmten Zeiten einfand. So hatte er auch im Speisesaal des Hotels seine Ecke, am Fenster, seinen beiden alten Zimmernachbarn gegenüber.

Am ersten Tag hatte er nach dem Kaffee einen Calvados bestellt. Seither fragte ihn Germaine unweigerlich:

»Einen Calvados, Herr Kommissar?«

Er wagte nicht, nein zu sagen. Er fühlte sich wie eingeschläfert.

Die Sonne brannte. Zeitweise wurde der Asphalt auf der Uferpromenade weich unter den Sohlen, und die Autoreifen drückten sich darin ab.

Er ging hinauf, um Siesta zu halten – legte sich allerdings nicht hin, sondern stellte den Sessel auf den Balkon hinaus und breitete eine Zeitung über sein Gesicht.

Haben Sie bitte Erbarmen und suchen Sie die Patientin in Zimmer 15 auf.

Wenn man ihn so sah, wie er es sich erst da, dann dort bequem machte, hätte man glauben können, er sei seit Jahren hier heimisch, wie die nachmittäglichen Kartenspieler. Es war aber gerade neun Tage her, seit seine Frau und er hier angekommen waren. Am ersten Abend hatten sie Muscheln gegessen. Darauf hatten sie sich schon in Paris gefreut: eine große Schüssel frischer Muscheln.

Und dann wurde ihnen beiden schlecht davon, und sie störten den Schlaf ihrer Zimmernachbarn. Am nächsten Tag ging es Maigret besser, aber am Strand beklagte sich Madame Maigret über Bauchschmerzen. In der zweiten Nacht hatte sie Fieber. Noch konnte man annehmen, es sei nichts Schlimmes.

»Das war ein Fehler. Muscheln sind mir noch nie bekommen...«

Am übernächsten Tag fühlte sie sich so unwohl, daß man Dr. Bertrand rufen mußte, und dieser schickte sie als Notfall in die Klinik. Das waren arge Stunden gewesen, ein einziges Durcheinander, ein Kommen und Gehen, neue Gesichter, Röntgenaufnahmen, Untersuchungen.

»Ich bin ganz sicher, Herr Doktor, es waren die Muscheln«, sagte Madame Maigret immer wieder mit hilflosem Lächeln.

Aber die Ärzte lächelten nicht, nahmen Maigret beiseite.

Eine akute Blinddarmentzündung, die sofort operiert werden mußte, um einen Durchbruch zu verhindern.

Während des Eingriffs ging er mit großen Schritten im Gang auf und ab, während ein junger Mann, der auf die Entbindung seiner Frau wartete, sich die Fingernägel blutig biß.

So also war er Monsieur 6 geworden.

In sechs Tagen nimmt man manche Gewohnheit an, man lernt, auf leisen Sohlen zu gehen, man schenkt Schwester Aurélie, dann auch Schwester Marie des Anges immer mal wieder ein honigsüßes Lächeln. Man lernt sogar, die unausstehliche Rinquet anzugrinsen.

Woraufhin jemand die Gelegenheit wahrnimmt, um einem einen blöden Zettel zuzustecken.

Wer war das überhaupt auf Nummer 15? Sicher wußte es Madame Maigret. Die kannten sich doch alle, ohne sich je zu sehen. Wußten übereinander Bescheid bis in die persönlichen Angelegenheiten. Sie erzählte gelegentlich ihrem Mann davon, hinter vorgehaltener Hand, wie in der Kirche.

»Die Dame von Zimmer 11 soll sehr nett sein, sehr lieb … Und dabei … die Ärmste … Komm etwas näher …«

Dann formten ihre Lippen schnell das Wort:

»Brustkrebs …«

Und mit einem Blick zum Bett von Mademoiselle Rinquet hin schlug sie die Augen nieder, was soviel hieß wie, daß auch diese Krebs hatte.

»Du solltest das hübsche kleine Mädchen sehen, das sie in den Saal gebracht haben…«

Der Saal, das war das große Krankenzimmer; es gab hier nämlich wie bei der Bahn drei Klassen: das große Krankenzimmer für die dritte Klasse, dann die Zweibett-Zimmer und an der Spitze schließlich die Einzelzimmer.

Wozu sich den Kopf zerbrechen? Das alles war einfach kindisch. Die Stimmung in der Klinik hatte ja wirklich etwas Albernes. Waren die Schwestern nicht tatsächlich ein wenig infantil?

Auch die Kranken mit ihren Eifersüchteleien und ihrem Geheimnisgetue, ihren gierigen Leckermäulchen und spitzen Ohren, mit denen sie jeden Schritt in den Gängen belauschten.

Erbarmen…

Mit diesem Wort gab sich die Frau zu erkennen. Warum sollte die Patientin von Zimmer 15 ihn brauchen? Er konnte das ja wohl nicht ernst nehmen und sich an Schwester Aurélie wenden, um sie um Erlaubnis zu bitten, jemanden zu besuchen, von dem er nicht einmal den Namen kannte.

Die Sonne schien unerbittlich, sowohl am Strand als auch in der Stadt. Manchmal flirrte die Luft förmlich, und wenn man unvermittelt in den Schatten trat, hatte man einen Moment lang nichts als rot vor den Augen.

Nun gut! Seine Siesta war zu Ende; er konnte die Zeitung zusammenfalten, das Jackett überwerfen, eine Pfeife anzünden und hinausgehen.

»Bis nachher, Herr Kommissar…«

So reihten sich die Grüße aneinander wie Segenssprüche, den lieben langen Tag. Jedermann war nett und lächelte. Nur ihn schien das allmählich verdrießlich zu stimmen. Ein tüchtiger Platzregen, ein Streit mit jemandem, der auch wirklich dazu aufgelegt wäre, das hätte ihm gutgetan.

Die grüne Tür und die drei Schläge der kleinen Glocke. Er konnte es sich noch immer nicht verkneifen, die Uhr aus der Tasche zu ziehen!

»Guten Tag, Schwester…«

Und Monsieur 6 betrat auf leisen Sohlen das Zimmer Madame Maigrets.

»Wie geht es dir?«

Sie versuchte zu lächeln, was ihr aber nur halb gelang.

»Du hättest mir keine Orangen mitzubringen brauchen. Ich habe noch welche…«

»Du kennst doch sicher alle Patienten hier…«

Warum gab sie ihm ein Zeichen? Er drehte sich zum Bett Mademoiselle Rinquets um. Das alte Fräulein hatte den Kopf im Kissen vergraben und lag mit dem Gesicht zur Wand da.

Er flüsterte:

»Ist etwas nicht in Ordnung?«

»Nicht sie… Pst… Komm näher…«

All das spielte sich furchtbar geheimnistuerisch ab, wie in einem Mädchenpensionat.

»Heute nacht ist jemand gestorben...«

Sie warf ein Auge auf Mademoiselle Rinquet, deren Bettdecke sich bewegte.

»Es war schrecklich, man hörte die Schreie bis hierher... Dann kam die Familie... Über drei Stunden lang. Es war ein Kommen und Gehen... Einige der Patienten haben sich furchtbar erschrocken... Vor allem, als der Pfarrer zur Letzten Ölung kam... Sie hatten das Licht im Flur gelöscht, aber alle wußten Bescheid...«

Und mehr gehaucht als gesprochen fügte Madame Maigret mit einem Fingerzeig auf ihre Zimmergefährtin hinzu:

»Sie glaubt, nun sei sie an der Reihe...«

Maigret wußte nicht, was er sagen sollte. Er stand da, schwerfällig und unbeholfen, in einer ihm fremden Welt.

»Es war ein junges Mädchen... Ein sehr hübsches Mädchen anscheinend... Zimmer 15...«

Sie fragte sich, weshalb er nun seine dichten Brauen hochzog und geistesabwesend eine Pfeife aus der Tasche holte, die er dann doch nicht stopfte.

»Bist du sicher, daß es Zimmer 15 war?«

»Gewiß doch... Wieso denn?«

»Ach, einfach so...«

Er setzte sich auf seinen Platz. Es hatte keinen Sinn, ihr von dem Zettel zu erzählen, sie würde sich gleich viel zu sehr aufregen.

»Was hast du gegessen?«

Mademoiselle Rinquet hatte angefangen zu weinen. Man sah ihr Gesicht nicht, nur die spärlichen Haare auf dem Kopfkissen, aber sie zuckte unter der Decke.

»Du solltest dich nicht zu lange aufhalten...«

In der Tat war er, der von Gesundheit strotzte, hier fehl am Platz, in diesem Krankenhaus mit seinen herumhuschenden Schwestern.

Bevor er ging, fragte er:

»Weißt du, wie sie heißt?«

»Wer?«

»Das Mädchen… Auf Nummer 15…«

»Hélène Godreau.«

Jetzt erst bemerkte er, daß Schwester Marie des Anges verweinte Augen hatte und daß sie ihm böse zu sein schien. War doch sie es, die ihm den Zettel zugesteckt hatte?

Er fühlte sich außerstande, sie danach zu fragen. All das glich so wenig der Umgebung, in der er sich gewöhnlich bewegte, den muffigen Gängen des Polizeipräsidiums, den Leuten, die er in sein Büro bitten und ihm gegenüber Platz nehmen ließ, damit er ihnen lange in die Augen schauen konnte, bevor er sie mit harten Fragen anging.

Außerdem ging es ihn gar nichts an. Ein Mädchen war gestorben. Na und? Jemand hatte ihm eine Botschaft zugeschoben, die nichts besagte…

Er schritt wie ein Zirkuspferd seinen kleinen Parcours ab. Und im Grunde verliefen seine Tage im Kreis, wie die Bahn eines Zirkuspferds. Jetzt zum Beispiel war es Zeit für die ›Brasserie du Remblai‹. Er ging hin wie zu einer wichtigen Verabredung, obwohl er dort rein gar nichts zu tun hatte.

Der Saal war geräumig und hell. An den Tischen vor den breiten Fenstern zum Strand und zum Meer hin hatten sich eine Menge Gäste niedergelassen, die er keines Blickes würdigte, beliebige Gesichter, Urlauber, die sich nur zufällig eingefunden und hier bestimmt keinen Stammplatz hatten.

Weiter hinten im Raum, jenseits des Billardtisches, sah es ganz anders aus: um zwei Tische saß dort eine Runde ernst dreinblickender und schweigsamer Männer, die von einem aufmerksamen Kellner äußerst zuvorkommend bedient wurden.

Das waren die einflußreichen und angesehenen Leute des Orts, die Reichen und Alten. Manche von ihnen hatten es erlebt, wie die ›Brasserie‹ gebaut worden war, und einige hatten Les Sables schon vor der Aufschüttung des Remblai gekannt.

Sie trafen sich hier jeden Nachmittag, um Bridge zu spielen. Tag für Tag der gleiche kurze Händedruck, wortlos oder von einigen knapp bemessenen und geläufigen Sätzen begleitet.

Sie hatten sich bereits daran gewöhnt, Maigret hier zu sehen, der zwar nicht mitspielte, jedoch rittlings auf einem Stuhl saß und den Kartenspielern zusah, die Pfeife im Mund und ein Glas Weißwein vor sich.

Die meisten nickten ihm zur Begrüßung kurz zu. Nur Kommissar Mansuy von der örtlichen Polizei, der ihn diesen Herren auch vorgestellt hatte, erhob sich, um ihm die Hand zu reichen.

»Ihre Frau erholt sich gut?«

Er sagte gewohnheitsmäßig ja und fügte ebenso beiläufig hinzu:

»Ein junges Mädchen ist heute nacht in der Klinik gestorben …«

Er hatte es eher leise gesagt, aber bei der Stille, die um die beiden Tische herrschte, immer noch laut genug.

An der Reaktion der Herren merkte er gleich, daß er ins

Fettnäpfchen getreten war. Überdies gab ihm der Polizeikommissar mit einem Zeichen zu verstehen, daß er das Thema auf sich beruhen lassen solle.

Seit sechs Tagen schaute er dem Spiel zu, und noch immer begriff er die Regeln nicht. Diesmal begnügte er sich damit, die Gesichter zu beobachten.

Monsieur Lourceau, der Reeder, war steinalt, aber groß und kräftig, mit hochrotem Gesicht unter seinen weißen Haaren. Er spielte am besten von allen, und wenn sein Partner einen Fehler machte, warf er ihm nicht gerade freundliche Blicke zu.

Depaty, der Grundstücksmakler, der vor allem Villen und ganze Siedlungen verkaufte, war lebhafter, mit verschmitzten Augen, trotz seiner siebzig Jahre.

Weiter waren da ein Bauunternehmer, ein Richter, ein Schiffbauer und der stellvertretende Bürgermeister.

Der Jüngste mußte zwischen fünfundvierzig und fünfzig sein. Er war gerade im Begriff, eine Partie zu Ende zu spielen. Ein schlanker Mann, feinnervig, angespannt, rasche Blicke werfend, mit schönem braunem Haar, und elegant, wenn nicht gar allzu ausgesucht gekleidet.

Als er die letzte Karte ausgespielt hatte, erhob er sich und ging wie gewohnt zur Telefonzelle. Maigret sah auf die Wanduhr. Es war halb fünf. Jeden Tag um diese Zeit rief der Mann jemanden an.

Kommissar Mansuy, der für die folgende Partie mit seinem Nachbarn den Platz tauschte, neigte sich seinem Kollegen zu und flüsterte:

»Es ist seine Schwägerin, die gestorben ist.«

Der Mann, der täglich im Lauf des Spiels seine Frau anrief, war Dr. Bellamy. Er wohnte kaum dreihundert Meter entfernt, in dem großen weißen Haus hinter dem Kasino, genauer gesagt zwischen Kasino und Mole, dort wo sich die drei oder vier schönsten Anwesen der Stadt befanden. Das seine war vom Fenster aus sichtbar. Die einheitliche, makellose Fassade, von großen Fenstern durchbrochen, erinnerte ein wenig an die Klinik. Sie strahlte die gleiche Ruhe und Würde aus.

Dr. Bellamy kam mit unbewegter Miene zum Tisch zurück, wo man ihn, die Karten waren schon verteilt, erwartete. Monsieur Lourceau, der es nicht gerne sah, wenn Belanglosigkeiten den feierlichen Ernst des Bridgespiels störten, zuckte die Achseln. So ging das vermutlich seit Jahren...

Der Arzt war nicht der Typ, der sich davon beeindrucken ließ. Nicht ein Muskel seines Gesichts rührte sich. Er überblickte kurz sein Blatt, bemerkte dann knapp:

»Zwei Kreuz...«

Während des Spiels indessen begann er zum erstenmal, Maigret verstohlen zu mustern. Er machte es sehr unauffällig. Seine Blicke waren so kurz, daß man sie kaum auffangen konnte.

Haben Sie bitte Erbarmen...

Da schlich sich auf einmal, ohne sein Zutun, ein Satz in Maigrets Gedanken, der ihm während des ganzen Spiels keine Ruhe mehr ließ:

»Das ist jedenfalls mal einer, der kein Erbarmen hätte...«

Selten zuvor hatte er einen Mann gesehen, dessen Blick gleichzeitig so schneidend und so feurig war, der seine Nerven so beherrschte und in so hohem Grade fähig war, nichts von seinen Gefühlen durchscheinen zu lassen.

An den Tagen zuvor hatte Maigret das Ende des Spiels nicht abgewartet. Er war immer noch da- und dorthin ›unterwegs‹ gewesen. Der Gedanke, irgend etwas an seinen Gewohnheiten zu ändern, paßte ihm nicht.

»Sind Sie um sechs Uhr noch hier anzutreffen?« fragte er Kommissar Mansuy.

Dieser schaute überflüssigerweise auf seine Uhr, bevor er ja sagte.

Diesmal ging er bis ans Ende des Remblai, am Haus Dr. Bellamys vorbei, vor dem bestimmt viele Spaziergänger neidvoll stehenblieben und dachten:

»Wie schön muß es sein, hier zu wohnen...«

Dann zum Hafen, an der Werkstatt des Segelmachers mit seinen auf der Straße ausgebreiteten Tüchern und beim Fährhaus vorbei, bis zum Fischmarkt, wo gegenüber die heimkehrenden Schiffe eins neben dem andern anlegten.

Hier befand sich ein kleines, grün gestrichenes Café, zu dessen Tür es vier Stufen hinunterging – eine dunkle Theke, zwei oder drei mit braunem Wachstuch bedeckte Tische und lauter blau gekleidete Männer mit hohen, an den Oberschenkeln umgeschlagenen Gummistiefeln.

»Einen kleinen Weißwein...«

...der weder so schmeckte wie der im Hotel ›Bel Air‹ noch wie der in der Markthalle und auch nicht wie der Weißwein in der ›Brasserie du Remblai‹.

Nun blieb nichts mehr zu tun, als den Kai entlangzugehen, an seinem Ende rechts abzubiegen und durch die engen Gassen mit ihren einstöckigen Häusern voller Leben, Geräusche und Gerüche zurückzukehren.

Als er um sechs Uhr bei der ›Brasserie du Remblai‹ ankam, stand Kommissar Mansuy schon wartend vor der Tür und zog gerade seine Uhr auf.

2

Es dauerte eine halbe Stunde, aber das Warten war nicht unangenehm, im Gegenteil. Kommissar Mansuy hatte ihm gesagt:

»Ich muß noch einen Augenblick ins Kommissariat. Einige Akten unterzeichnen, und wahrscheinlich wartet noch jemand auf mich.«

Er war klein, rotblond, ein sehr korrekter Herr, etwas schüchtern sogar, und schien fortwährend beteuern zu wollen:

»Entschuldigen Sie, aber ich schwöre Ihnen, ich tue, was ich kann.«

Vermutlich war er eines jener Schulkinder gewesen, die aussehen, als hätten sie einen zu großen Kopf, die ihre Pausen träumend in einer Ecke verbringen und von denen es heißt, sie seien zu versonnen für ihr Alter.

Er war unverheiratet und wohnte zur Untermiete bei einer Witwe, die eine Villa in der Nähe des Hotels ›Bel Air‹ besaß. Hin und wieder nahm er seinen Aperitif im Hotel, und so hatte Maigret seine Bekanntschaft gemacht.

Sowenig er wie ein richtiger Kommissar wirkte, sowenig glich auch das Kommissariat einem richtigen Kommissariat. Es war in einem Privathaus an einem kleinen Platz untergebracht, und weil nicht in allen Räumen neu tapeziert worden war, schlug noch ihr ehemaliger Charakter als Schlaf- oder Badezimmer durch, mit hellen Flecken an den Wänden, wo Möbel gestanden hatten, Rohrenden und Leitungen, die nirgendwo mehr hinführten.

Dafür herrschte hier eine Luft, die Maigret genüßlich und beinahe erleichtert einsog, eine gute, schwere Luft, die man mit dem Messer hätte schneiden können, in der sich die Gerüche von Lederriemen, Uniformstoff, Aktenstößen und erkalteten Pfeifen mit den Ausdünstungen der armen Teufel mischten, die mit ihren Hintern die beiden Holzbänke im Warteraum blankgescheuert hatten. Verglichen mit der Pariser Kriminalpolizei machte das Ganze einen eher dilettantischen Eindruck. Ein Polizist in Hemdsärmeln wusch sich im Hof Gesicht und Hände. Im Nachbargarten gackerten Hühner. Einige weitere Polizisten saßen im Wachraum beim Kartenspiel, wobei sie sich möglichst nachlässig gaben, um wie richtige Polizisten auszusehen, darunter auch einige sehr junge, die eher Rekruten glichen.

»Darf ich Ihnen den Weg zeigen?«

Natürlich freute sich der kleine Kommissar, eine Persönlichkeit wie Maigret in seinem Haus herumzuführen. Er freute sich, und er war ein wenig eingeschüchtert. In einem großen Büro saßen zwei Inspektoren auf den Tischen und rauchten. Der eine hatte seinen Hut in den Nacken geschoben, wie in den amerikanischen Filmen.

Mansuy grüßte sie beiläufig, öffnete die Tür zu seinem Büro, wandte sich nochmals um.

»Nichts Neues?«

»Wir haben Polyte für Sie dabehalten... Der Unterpräfekt hat um Rückruf gebeten...«

Das Wetter war herrlich. Seit Maigret in Les Sables war, hatte es nicht ein einziges Mal geregnet. Die Fenster standen offen, die Geräusche der Stadt drangen herein, und man sah Familien, die vom Strand zurückkehrten.

Damit es ein bißchen ernster wirkte, hatte Polyte Handschellen angelegt bekommen, bevor er hereingeführt wurde. Er war ein armer Kerl unbestimmten Alters, von der Art, wie es in jedem Dorf mindestens einen gibt, zerlumpt, struppig, einfältig und verschlagen zugleich.

»Da hast du wieder mal was ausgefressen, wie? Ich nehme an, diesmal wirst du's nicht bestreiten.«

Polyte rührte sich nicht, gab keine Antwort, sein Blick war gehorsam auf Kommissar Mansuy gerichtet, der durch die Gegenwart des großen Maigret etwas durcheinander war und seine Sache ganz besonders gut machen wollte.

»Diesmal streitest du's doch nicht ab?«

Er mußte seine Frage zweimal wiederholen, bevor er ein Zeichen des Landstreichers erhielt, ein Kopfnicken.

»Was soll das heißen? Du gestehst also?«

Kopfschütteln.

»Du leugnest, daß du dich in Madame Médards Garten geschlichen hast?«

Mein Gott, wie gut das tat und wie viel wohler Maigret sich hier fühlte als bei den Klinikschwestern! Polyte schien daran gewöhnt zu sein. Er lebte in einer Bretterbude am Stadtrand, mit einer Frau und sieben oder acht Kindern, eins verlauster als das andere.

Am selben Morgen hatte er bei einem Trödler vorgesprochen und versucht, ihm zwei fast neue Bettlaken sowie Servietten und Damenwäsche zu verkaufen. Der Händler war zum Schein darauf eingegangen, hatte jedoch den Polizisten gerufen, der an der nächsten Ecke postiert war, und Polyte war keine zweihundert Schritte weiter festgenommen worden. Madame Médard, die Bestohlene, war inzwischen bereits auf der Polizeiwache erschienen.

»Du bist in ihren Garten eingedrungen, wo sie letzte Nacht Wäsche zum Trocknen hatte hängenlassen... Und es ist nicht das erste Mal, daß du über ihre Hecke geklettert bist... Vergangene Woche hast du ihren Kaninchenstall aufgebrochen und ihr die beiden fettesten Kaninchen gestohlen...«

»Nicht ein Kaninchen habe ich ihr gestohlen...«

»Sie hat eindeutig die Felle wiedererkannt, die man bei dir fand.«

»Wenn ich doch davon lebe, Karnickelfelle zu sammeln...«

»Auch wenn innen drin noch das Fleisch ist?«

Es war nichts zu machen. Da konnte sich der rotbäckige Mansuy noch so viele Fragen, auch Fangfragen ausdenken.

»Die Wäschestücke hat mir einer verkauft...«

»Wo?«

»Auf der Straße...«

»Auf welcher Straße?«

»Dort hinten...«

»Wie heißt er?«

»Das weiß ich nicht...«

»Hattest du ihn schon einmal gesehen?«

»Ich glaube nicht...«

»Und der kommt zu dir, um dir Bettlaken und Blusen zu verkaufen?«

»Hab ich doch schon gesagt...«

»Du bist dir ja hoffentlich im klaren darüber, daß dir der Richter das nicht abkaufen wird?... Diesmal kommst du nicht ungeschoren davon...«

»Das wäre aber eine Ungerechtigkeit...«

Polyte sonderte einen Gestank ab, wie er, allerdings wohl eine Note milder, in einer Heilsarmeeunterkunft herrschen mochte. Ein bockiger Kerl, aus dem auch mit stundenlangen Verhören sicher nichts herauszubekommen wäre und dessen schlaue Äuglein zu sagen schienen:

›Das seht ihr doch selbst, daß ihr so nicht weiterkommt!‹

Endlich führten ihn zwei Polizisten ab, immer noch in Handschellen, während Maigret mit dem Kommissar allein zurückblieb, bei offenen Fenstern, in dem bis auf die Männer in der Wachstube leeren Haus.

»Das hätten wir... Das sind andere Händel als die, die Sie gewohnt sind, nicht? Ich kann mir hier fast jeden Nachmittag eine Partie Bridge gönnen...«

»Sie vergessen nicht, den Unterpräfekten anzurufen?«

»Ach, ich weiß schon, er will mich nur morgen zum Essen einladen... Kennen Sie ihn? Ein netter Mann... Sie wollten vorhin etwas über Philippe Bellamy sagen... Was halten Sie von ihm?... Ein Mann von Format, nicht wahr?... Ich wurde erst vor zwei Jahren nach Les Sables versetzt, aber ich hatte Zeit genug, die ganze Stadt kennenzulernen... Die wichtigsten Persönlichkeiten haben Sie schon gesehen... Darunter einige sonderbare Figuren... Dr. Bellamy freilich ist eine Klasse für sich... Wußten Sie, daß er eine Größe in seinem Fach ist?... Ich hatte kürzlich Gelegenheit, mit einem Freund darüber zu sprechen, der Arzt in Bordeaux ist... Bellamy ist einer der angesehensten Neurologen, die wir haben... Er war lange Zeit Krankenhausarzt in Paris, wo er sich habilitiert hat... Er hätte an einer großen Universität Professor werden können... Aber er zog es vor, mit seiner Mutter hierherzuziehen...«

»Seine Familie stammt aus Les Sables?«

»Sie ist seit mehreren Generationen hier ansässig... Haben Sie seine Mutter, Madame Bellamy, nicht kennengelernt?... Eine vollschlanke, um nicht zu sagen feiste alte Dame, die am Stock geht, und den hält sie, als sei es ein Säbel... Ungefähr jede Woche einmal legt sie sich mit den Marktfrauen an...«

»Woran ist das junge Mädchen gestorben?«

»Eben um darüber zu sprechen will mich, wenn mich nicht alles täuscht, der Unterpräfekt zum Abendessen einladen... Er hat mich heute morgen deswegen angerufen. Er kennt natürlich Dr. Bellamy... Sie sehen sich ziemlich oft...«

Es war eine Wohltat, in aller Ruhe seine Pfeife zu rauchen, dabei im Büro auf und ab zu gehen, sich hin und wieder ins abendliche Sonnenlicht am Fenster zu stellen und so zu plaudern, dem trägen Fluß der Worte zu folgen.

»Es war ja zu erwarten, daß es nach diesem Unfall Gerede geben würde. Es wundert mich, daß Sie nicht auf dem laufenden sind...«

»Ich kenne fast niemanden hier...«

»Es war... warten Sie... vor zwei Tagen. Richtig, am 3. August... Der Bericht muß noch im Büro meines Sekretärs liegen, aber ich kann ihn jetzt nicht herausholen.

Dr. Bellamy war in Begleitung seiner Schwägerin im Wagen nach La Roche-sur-Yon gefahren...«

»Wie alt war sie?«

»Neunzehn... Ein merkwürdiges Mädchen, eher interessant als hübsch... Aber machen Sie sich bitte keine falschen Vorstellungen... Lili Godreau war ein nettes Mädchen; ihre Schwester jedoch, Bellamys Frau, ist eine der schönsten Frauen, die man sich denken kann... Leider werden Sie kaum Gelegenheit haben, sie zu sehen, denn sie geht selten aus...«

»Wie alt ist sie?« wollte Maigret wieder wissen.

»Ungefähr fünfundzwanzig... Die Liebe Bellamys zu seiner Frau ist in der Gegend beinahe legendär... Es ist eine richtige Leidenschaft, und jeder wird Ihnen bestätigen, daß er ungeheuer eifersüchtig ist... Es wird behauptet, er sperre sie zu Hause ein, wenn er ausgeht, wenn er etwa nachmittags zum Kartenspielen kommt... Ich halte das für übertrieben... Immerhin steht fest, daß die Mutter Bellamys nie gleichzeitig mit ihrem Sohn außer Haus ist, und es würde mich nicht wundern, wenn sie dort bliebe, um ihre Schwiegertochter zu überwachen... Sie haben den Doktor telefonieren sehen... Er hält es keine zwei Stunden aus, ohne sie anzurufen, ohne irgendwie in Kontakt mit ihr zu bleiben, vielleicht um sich zu vergewissern, daß sie noch da ist...«

»Aus was für einer Familie stammt sie?«

»Das ist es eben: Der Lebenswandel ihrer Mutter ist nicht geeignet, einen Ehemann zu beruhigen... Interessiert es Sie?... Ich will versuchen, Ihnen zu erzählen, was ich weiß... Bellamys Frau heißt Odette, ihr Mädchenname ist

Godreau. Ihre Mutter kam aus recht guter Familie, Tochter eines Marineoffiziers, soviel ich weiß. Sie war eine schöne Frau und ist es noch heute.

Zwanzig Jahre lang war sie in Les Sables der Inbegriff der Sünde... Ich weiß nicht, ob Sie je in einer Kleinstadt gelebt haben, um mich zu begreifen... Sie war nicht verheiratet... Sie ließ sich aushalten... Und zwar nacheinander von zwei oder drei reichen Herren, darunter Monsieur Lourceau, den Sie im Café gesehen haben... Wenn sie vorbeiging, bewegten sich die Vorhänge... Sie war so eine Frau, wegen der Gymnasiasten aus der Fassung geraten und nach der sich verheiratete Männer auf der Straße umdrehen... Wenn sie ein Geschäft betrat, verstummten die Gespräche, und die Damen verzogen verächtlich die Gesichter...

Sie hat zwei Töchter, denen man auf gut Glück verschiedene Väter zuschreibt. Odette und Lili...

Aus Odette ist eine noch blendendere Erscheinung geworden, als ihre Mutter es war. Dr. Bellamy lernte sie kennen, als sie noch keine zwanzig Jahre alt war...

Er hat sie geheiratet.

Sie haben ihn gesehen. Ich habe Ihnen gesagt, er ist eine Klasse für sich... Er hat die Tochter geheiratet, aber von der Schwiegermutter wollte er nichts wissen; er hat ihr eine Rente ausgesetzt, damit sie sich aus der Gegend verzog... Sie soll jetzt in Paris mit einem privatisierenden Industriellen leben...

Da es aber noch die jüngere Schwester gab, die zur Zeit der Heirat dreizehn war, hat sich der Doktor ihrer angenommen... Er hat sie aufgezogen... Sie ist heute, oder vielmehr, sie war neunzehn Jahre alt...

Sie fuhren zusammen nach La Roche-sur-Yon, in Bellamys Wagen...«

»War Odette dabei?«

»Nein, nur sie beide... Lili, die Klavier spielte, ließ kein Konzert aus... Auch nicht jenes in La Roche, vorgestern um vier... Ihr Schwager fuhr sie hin... Und auf der Rückfahrt...«

»Um wieviel Uhr?«

»Kurz nach sieben... Es war noch hell... Ziemlich reger Verkehr auf der Landstraße... Ich sage Ihnen das alles, weil es seine Bedeutung hat... Anscheinend war die Wagentür nicht richtig geschlossen... Jedenfalls öffnete sie sich, und Lili Godreau wurde auf die Straße hinausgeschleudert... Das Auto fuhr mit hoher Geschwindigkeit... Der Doktor hat die Angewohnheit, sehr schnell zu fahren, und die Gendarmen, die ihn kennen, drücken ein Auge zu...«

»Ein Unfall also...«

»Ja, ein Unfall...«

Kommissar Mansuy dachte nach, wollte sich verbessern, hatte sogar schon den Mund geöffnet. Maigret schaute ihn fragend an. Aber er sagte nochmals:

»Ein Unfall eben...«

»Alles andere läßt sich ausschließen, nicht?«

»Ich denke, ja...«

»So wie Sie es mir nun beschrieben haben, kann man schwerlich intime Beziehungen zwischen Bellamy und seiner Schwägerin annehmen?«

»Das paßte nicht zum Persönlichkeitsbild.«

»Waren andere Autofahrer in der Nähe?«

»Ein Lieferwagen hundert Meter hinter Bellamy... Der

Fahrer ist vernommen worden. Er hat nichts Besonderes bemerkt. Der Wagen des Doktors rauschte an ihm vorbei, und Augenblicke später sah er, wie die Tür aufging und jemand auf die Straße hinausflog...«

Hätte der kleine Kommissar mit dem großen Kopf Maigret besser gekannt, so wäre ihm nicht entgangen, daß mit diesem in den letzten Minuten eine Veränderung vor sich gegangen war. Eben war er noch der beleibte Herr gewesen, der leicht schwankend und ohne rechte Begeisterung seine Pfeife paffte und dabei gelangweilt den Blick umherschweifen ließ.

Nun war es, als hätte sich in ihm etwas zusammengezogen. Sogar seine Schritte waren nun fester, seine Bewegungen bestimmter.

Lucas zum Beispiel, der den Chef besser als jeder andere kannte, hätte sofort Bescheid gewußt und sich gefreut.

»Wir sehen uns sicher morgen wieder, nicht?« ließ sich Maigret vernehmen und streckte seine Pranke aus.

Der andere war verwirrt. Er hatte gedacht, sie würden zusammen weggehen, noch ein Stück Wegs gemeinsam zurücklegen, vielleicht irgendwo einen Aperitif trinken. Nun ließ man ihn hier in seinem Büro sitzen, das er so gerne vorgezeigt hatte, wo ihn aber jetzt nichts mehr zurückhielt. Etwas linkisch hatte er, um anzudeuten, auch er sei zum Aufbruch bereit, nach seinem Hut auf dem Tisch gegriffen.

»Sie sollten noch den Unterpräfekten anrufen«, erinnerte ihn Maigret.

Nicht etwa ironisch. Und es war keine Absicht dabei. Er hatte anderes im Kopf, nichts weiter. Genauer gesagt: er dachte nach. Und noch genauer: er reihte noch undeutliche Bilder aneinander.

Unter der Tür drehte er sich um.

»Konnte das Mädchen noch befragt werden?«

»Nein. Sie lag bis zu ihrem Tod letzte Nacht im Koma. Sie hatte einen Schädelbruch.«

»Wer hat sie behandelt?«

»Dr. Bourgeois.«

Und noch am Tag, als sie starb, spielte ihr Schwager wie gewohnt seine Partie Bridge in der ›Brasserie du Remblai‹.

Es war alles unklar. Wenn Maigret nun auch schon Fuß zu fassen begann, so war er doch noch nicht ›in Trance‹, wie man am Quai des Orfèvres sagte. Er ging die Straße entlang, bog nach links und betrat schließlich eine Bar, in der er noch nie gewesen war und die nun voraussichtlich seinen täglichen Rundgang um eine Zwischenstation bereichern würde.

»Einen Weißwein... Nein... Haben Sie nicht einen trockenen?«

Haben Sie bitte Erbarmen... hieß es auf dem Zettel, der ihm zugesteckt worden war.

Was wäre geschehen, wenn er den Zettel früher entdeckt, sich unverzüglich zum Krankenhaus begeben und verlangt hätte, auf Zimmer 15 vorzusprechen? Lag Lili Godreau nicht im Koma?

Sein Tisch im Hotel war frei. Bevor er hinaufging, kam er nicht umhin, ein Gläschen mit Monsieur Léonard zu trinken.

»Kennen Sie Dr. Bellamy?«

»Ein außergewöhnlicher Mann. Vor vier Jahren behandelte er meine Frau, als sie ihr Leiden hatte, und er hat nicht einen Centime verlangt. Mit Mühe und Not brachte ich ihn dazu, eine Flasche Vieille Chartreuse anzunehmen, die ich für eine besondere Gelegenheit aufgehoben hatte…«

Er schlief ein und erwachte mit den gleichen vertrauten Geräuschen, dem Branden des Meers, dem Baby, das im Nebenzimmer schrie, dann dem Gerangel der vier Kinder mit ihrer Mutter und dem Psalmodieren der beiden Alten zur Rechten.

Er war noch nicht am springenden Punkt; alles war ebenso verschwommen wie am Vorabend, nur daß sein Kopf sich etwas schwerer anfühlte.

Weißwein mit dem Wirt.

»Wissen Sie, wann die Beerdigung stattfindet?«

»Sie sprechen von der kleinen Godreau?… Morgen, oder zumindest ist sie für morgen vorgesehen… Unter uns, im Vertrauen gesagt, vermute ich, daß eine Obduktion vorgenommen wird… Vorsichtshalber, verstehen Sie?… Eigentlich nur, um die bösen Zungen zum Schweigen zu bringen… Angeblich hat Dr. Bellamy das sogar selbst angeregt…«

Den ganzen Morgen, während seiner täglichen Kneipentour, ärgerte er sich ein wenig, und zwar über die Schwestern.

Denn ihretwegen unterließ er es schließlich, zur Klinik zu gehen, an der Tür zu klingeln und ein paar genaue Fragen zu stellen. Er hätte bestimmt recht schnell herausgefunden, wer ihm den Zettel untergeschoben hatte.

So mußte er eben bis drei Uhr warten. Es hatte keinen Sinn, Schwester Aurélie aufzuscheuchen. Unter welchem

Vorwand denn auch? Seine Frau zu sprechen? Man kam ihm damit entgegen, daß er um elf Uhr anrufen durfte, und es war schon beinahe zuviel verlangt, Madame Maigret jeden Nachmittag zu besuchen.

Und dann müßte er sich gleich wieder einen schleichenden Schritt zulegen und in Flüsterton verfallen.

»Wir werden ja sehen«, knurrte er nach seinem dritten Weißwein.

Und gleichwohl wartete er um drei Uhr einige Sekunden, bis er von den Glocken das Zeichen erhalten hatte, bevor er auf die Klingel neben dem grünen Portal drückte.

»Guten Tag, Monsieur 6... Die liebe Patientin erwartet Sie schon...«

Er konnte Schwester Aurélie ja nicht gut ein Gesicht schneiden und setzte ein gezwungenes Lächeln auf.

»Einen Moment, ich melde Sie gleich an... Ich melde Sie gleich an...«

Und die andere, Schwester Marie des Anges, kam ihm oben an der Treppe entgegen. Es war unmöglich, auf dem Korridor, wo alle Türen offenstanden, mit ihr zu sprechen.

»Guten Tag, Monsieur 6... Unsere liebe Patientin...«

Das ging schon fast zu wie bei einem Zaubertrick, bei dem er selbst zum Verschwinden gebracht wurde. Er hatte nicht einmal Zeit gehabt, den Mund zu öffnen, und schon stand er im Zimmer seiner Frau, angestarrt von den kleinen Vogelaugen der gräßlichen Mademoiselle Rinquet.

»Was ist denn mit dir los, Maigret?«

»Nichts, nichts...«

»Du bist nicht eben gut aufgelegt...«

»Doch, doch...«

»Es ist langsam Zeit, daß ich hier herauskomme, nicht? Gib zu, daß du dich langweilst.«

»Wie geht es dir?«

»Besser ... Dr. Bertrand meint, daß er mir die Klammern am Montag entfernen kann. Heute mittag durfte ich ein wenig Huhn essen ...«

Es war nicht einmal möglich, leise mit ihr zu sprechen. Was hätte das auch für einen Eindruck gemacht? Und die Giftkröte im andern Bett war ganz Ohr.

»Übrigens, du hast vergessen, mir etwas Geld hierzulassen ...«

»Wozu denn?«

»Ein krankes Mädchen aus dem Saal ist vorhin mit einer Liste vorbeigekommen ...«

Ein kleiner Seitenblick zu Mademoiselle Rinquet, als sollte er die Andeutung begreifen. Aber worauf wollte sie hinaus? Ging es um eine Sammlung zugunsten des alten Fräuleins?

»Was meinst du?«

»Für den Kranz ...«

Einen Augenblick lang fragte er sich naiverweise, was ein Kranz mit einer Kranken zu tun haben mochte, die noch am Leben war. Es war zu idiotisch. Aber er verbrachte auch nicht den ganzen Tag in dieser Atmosphäre voller Geflüster, Geheimniskrämerei und andeutungsreichen Blicken.

»Zimmer 15 ...«

»Ach so!«

So weit ging das Feingefühl Madame Maigrets! Weil ihre Zimmergenossin schwer krank war, weil sie Krebs hatte und also sterben würde, senkte seine Frau schamhaft die Stimme, wenn sie von einem Kranz sprach!

»Gib der Kleinen zwanzig Francs, wenn sie wiederkommt… Fast alle haben zwanzig Francs gegeben… Morgen findet die Beerdigung statt.«

»Ich weiß…«

»Was hast du zu Mittag gegessen?«

Tag für Tag mußte er ihr über seine Mahlzeiten ausführlich Bericht erstatten.

»Wenigstens setzt man dir keine Muscheln mehr vor?«

Schwester Marie des Anges kam herein.

»Sie erlauben…«

Sie kam mit dem kranken Mädchen, das für den Kranz sammelte. Maigret gab ihr zwanzig Francs und hielt ihr einen Bleistift hin.

»Tragen Sie doch gleich den Namen meiner Frau ein, Schwester…«

Schwester Marie des Anges ergriff ohne weiteres den Stift, zögerte aber dann doch einen Moment. Sie richtete ihre Augen auf den Kommissar, und ihre Schläfen röteten sich ein wenig. Dann trug sie den Namen ein, und er schaute ihr dabei über die Schulter. Sie gab sich nicht die Mühe, ihre Schrift zu verstellen. Im übrigen war ihr Blick schon ein Geständnis gewesen.

Sie bedankte sich, etwas aufgelöst, und ging mit dem kranken Mädchen an der Hand hinaus.

»Wir sind hier wirklich so etwas wie eine Familie«, sagte Madame Maigret gerührt. »Du kannst dir nicht vorstellen, wie die Leute einander näherkommen, wenn sie leidend sind.«

Er mochte ihr nicht widersprechen, obschon er an Mademoiselle Rinquet denken mußte.

»In acht oder zehn Tagen werden sie mich wohl gehen lassen. Übermorgen darf ich schon eine Stunde in einem Sessel sitzen...«

Es war sicher nicht nett Madame Maigret gegenüber, aber die halbe Stunde erschien ihm heute noch länger als sonst.

»Möchtest du nicht das Zimmer wechseln?«

Sie erschrak. Wie konnte er nur so taktlos sein und einen solchen Satz vor Mademoiselle Rinquet in den Mund nehmen?

»Warum sollte ich das tun?«

»Ich weiß nicht... Es ist jetzt wohl ein Einzelzimmer frei...«

Madame Maigret traute ihren Ohren nicht, sie zuckte noch heftiger zusammen und stammelte:

»Die 15?... Wie kannst du nur daran denken, Maigret?«

Ein Zimmer, in dem eben erst ein junges Mädchen gestorben war! Er bestand nicht darauf. Mademoiselle Rinquet mußte ihn für einen Unhold halten. Dabei hatte er doch nur im Auge gehabt, sich ungestört mit Schwester Marie des Anges unterhalten zu können.

Schade! Er würde es anderswie einzurichten wissen. Als sie ihn durch den Gang hinausbegleitete, sagte er:

»Könnte ich Sie einen Moment im Aufenthaltsraum sprechen?«

Sie wußte, worum es ging, und machte ein ebenso erschrockenes Gesicht wie Madame Maigret.

»Das ist gegen die Vorschrift...«

»Sie wollen sagen, die Vorschriften erlauben es nicht, daß ich mich mit Ihnen unterhalte?«

»Nur wenn die Oberschwester dabei ist, an die Sie sich zuerst wenden müßten...«

»Und wo ist sie, die Oberschwester?«

Ohne sich dessen bewußt zu sein, hatte er die Stimme erhoben. Er war nahe daran, ärgerlich zu werden.

»Pst...«

Schwester Aldegonde steckte den Kopf durch eine Tür und beobachtete die beiden von weitem.

»Kann ich wenigstens hier mit Ihnen sprechen?«

»Pst...«

»Können Sie mir schreiben?«

»Es ist gegen die...«

»Und die Vorschriften erlauben Ihnen vermutlich auch nicht, in die Stadt zu gehen?«

Das war zuviel. Das grenzte schon an Gotteslästerung.

»Hören Sie, Schwester...«

»Ich bitte Sie, ich bitte Sie, Monsieur 6...«

»Sie wissen, was ich Sie...«

»Schweigen Sie, ich flehe Sie an...«

Und sie drängte ihn händeringend vorwärts, indem sie mit lauter Stimme, zweifellos für die Ohren Schwester Aldegondes berechnet, ausstieß:

»Ich versichere Ihnen, Ihrer lieben kranken Frau fehlt es an nichts, und sie ist in ausgezeichneter psychischer Verfassung...«

Es hatte keinen Sinn, es weiter zu versuchen. Er war schon auf der Treppe, im Herrschaftsgebiet Schwester Aurélies. Es blieb ihm nichts anderes übrig, als hinunterzugehen.

»Auf Wiedersehen, Monsieur 6«, flötete die sanfte Stimme hinter dem Schalter. »Rufen Sie morgen an?«

Er kam sich vor wie ein tolpatschiger Junge unter lauter Mädchen, die sich alle über ihn lustig machten. Mädchen jeden Alters, einschließlich Mademoiselle Rinquet, die er nicht ausstehen konnte, weiß Gott weshalb! Einschließlich Madame Maigret, die allmählich ein bißchen zu sehr zum festen Bestand des Hauses gehörte.

Was sollte der Zettel mit dem Hilferuf, wenn er doch mit niemand sprechen konnte?

Gute zehn Minuten lang grollte er innerlich mit Schwester Marie des Anges. Eine Heuchlerin übrigens. Wenn er nur schon an die Stimme dachte, mit der sie, um Schwester Aldegonde zu täuschen, gesagt hatte:

»Ich versichere Ihnen, Ihrer lieben kranken Frau fehlt es an nichts...«

Und die andere, auf Zimmer 15, war wahrscheinlich auch so eine ›liebe Patientin‹?

Er ging durch schattige Gassen, ging durch sonnenbeschienene Straßen, von einer in die nächste und so immer weiter, und allmählich besänftigte er sich, kam sich selbst lächerlich vor.

Arme Schwester Marie des Anges! Im Grunde hatte sie getan, was sie konnte. Sie hatte sogar Mut und Initiative gezeigt. Was überall sonst als selbstverständlich gegolten hätte, sah hier schon geradezu heldenhaft aus.

Es war nicht ihre Schuld, daß Maigret zu spät gekommen oder die kleine Godreau zu früh gestorben war.

Was blieb ihm nun zu tun? Zur Klinik zurückkehren, sich an die Oberschwester wenden und ihr sagen:

»Ich wünsche Schwester Marie des Anges zu sprechen.«

Unter welchem Vorwand? Was mischte er sich da überhaupt ein? Hier war er nicht Maigret, Kriminalpolizei, sondern schlicht und einfach Monsieur 6.

Dr. Bellamy darauf ansprechen? Aber worauf denn eigentlich? War nicht eben er es, der auf die Obduktion der Leiche seiner Schwägerin gedrängt hatte?

Kommissar Mansuy hatte ihm am Vorabend versichert, daß Lili Godreau nicht wieder zu Bewußtsein gekommen, sondern vom Zeitpunkt des Unfalls bis zu ihrem Tod bewußtlos gewesen war.

Darauf einen Schluck Weißwein. In einer richtigen Kneipe mit lärmenden Männern. Mit Fenstern, durch die die Sonne hereinscheint, anstelle jenes gedämpften Lichts der Klinik, bei dem ihm übel wurde.

Den Zettel zerriß er in kleine Fetzen. Dann ging er zur ›Brasserie du Remblai‹. Ob wohl Dr. Bellamy zu seiner Partie Bridge erscheinen würde? Das war seine Sache. Man kennt das, wenn bei Todesfällen die Frauen im Trauerhaus zunächst mit kläglicher Stimme verkünden:

»Nein danke... Bitte bestehen Sie nicht darauf... Ich könnte nicht einen Bissen herunterkriegen... Lieber würde ich sterben...«

Und etwas später sitzen sie bei Tisch und langen bei der Nachspeise zweimal zu. Wenn sie nicht gar zum Schluß mit der Schwägerin Rezepte austauschen.

Dr. Bellamy ließ sich seine Bridgepartie nicht nehmen. Er saß schon da, wie üblich. Wiederholt sah er zu Maigret hinüber, ein intelligenter, stechender Blick.

Er schien zu sagen: ›Das beschäftigt Sie wohl sehr... Ich

weiß, wie gern Sie mich begreifen möchten... Versuchen Sie's nur, es ist mir ausgesprochen egal...‹

Nein, das stimmte nicht ganz. Vollkommen egal war es ihm nicht. Je länger Maigret dasaß, um so deutlicher wurde ihm das bewußt. Zwischen ihm und dem Doktor gab es noch etwas anderes, etwas verband ihn mit ihm, wenn auch nur unterschwellig.

Maigret war es gewohnt, daß ihn die Leute, wo immer er hinkam und erkannt wurde, neugierig musterten. Er hatte eben seinen Ruf. Manche konnten es nicht lassen, ihm mehr oder weniger geistreiche, mehr oder weniger schmeichelhafte Fragen zu stellen.

»Was ist eigentlich Ihre Methode, Herr Kommissar?«

Die ganz Gescheiten oder besonders Hochtrabenden sagten etwa:

»Nach meinem Dafürhalten gehören Sie eher zur Schule Bergsons...«

Andere, wie Lourceau und mehrere der hier Anwesenden, begnügten sich damit, zur Kenntnis zu nehmen, wie ein leibhaftiger Kriminalkommissar aussieht.

»Sie, der Sie so viele Mörder gekannt haben...«

Und schließlich gab es jene, die stolz darauf waren, einem Mann die Hand zu schütteln, dessen Bild hin und wieder in der Zeitung erschien.

Zu letzteren gehörte Bellamy sicher nicht. Der Doktor sah Maigret gewissermaßen als Ebenbürtigen an. Er schien davon auszugehen, daß sie, wenn auch auf verschiedenen Ebenen, zur gleichen Klasse gehörten.

Seine Neugier konnte man auch als Anerkennung auffassen, und es schwang darin eine gewisse Achtung mit.

»Halb fünf, Herr Doktor«, bemerkte einer der Spielpartner.

»Ja, richtig... das ist mir durchaus nicht entgangen...«

Die Ironie prallte einfach an ihm ab. Zweifellos war ihm sein Ruf als leidenschaftlicher Ehemann bekannt, ohne daß er ihn im geringsten beschämt hätte. Seelenruhig ging er zur Telefonzelle. Maigret sah durch die Scheibe sein scharfgeschnittenes Profil und hatte immer mehr Lust, mit ihm ins Gespräch zu kommen.

Aber wie? Das war kaum weniger heikel als bei den Schwestern. Abwarten, bis er wegging, ihm zur Tür folgen und dann sagen:

»Gestatten Sie, daß ich Sie ein paar Schritte begleite?«

Kindisch. Und ebenso kindisch wäre es, bei einem Mann seines Formats, um eine ärztliche Untersuchung zu bitten.

Maigret konnte sich nun wohl irgendwie der kleinen Herrenrunde zurechnen, ohne wirklich einer von ihnen zu sein. Man hatte sich daran gewöhnt, ihn an seinem Platz zu sehen. Gelegentlich zeigte ihm einer der Spielenden seine Karten, oder jemand fragte ihn:

»Langweilen Sie sich nicht allzusehr in Les Sables?«

Trotzdem blieb er einer auf Zeit. So etwas wie ein Externer in einem Internat.

»Ihre Frau erholt sich gut?«

Hatte ihn eigentlich Dr. Bellamy schon einmal angesprochen? Er versuchte vergeblich, sich daran zu erinnern.

Er hatte genug von diesen Ferien, die ihn aus dem Gleichgewicht brachten und ihn schüchtern bis zur Lächerlichkeit machten. Selbst Mansuy wirkte gelassener als er, denn er kannte sich hier aus und konnte sich jederzeit in sein Büro auf dem Kommissariat zurückziehen.

Nur weil irgendein Mädchen gestorben war, nur weil eine Krankenschwester, die ihr Gesicht einem Madonnenbild hätte leihen können, ihm einen Zettel untergeschoben hatte, war er nun so weit, daß er um Dr. Bellamy herumschlich, wie ein Schulbub den Liebling der Klasse umschleicht.

»Noch einen Weißwein, bitte…«

Er wollte den Doktor lieber keines Blickes mehr würdigen. Es wurde zu offensichtlich. Der andere hatte ihn bestimmt längst durchschaut, wußte, was hinter seiner Schüchternheit steckte, und machte sich darüber lustig…

Er hatte sein Spiel beendet, erhob sich und holte seinen Hut vom Ständer.

»Guten Abend, meine Herren…«

Er sagte nicht ›bis morgen‹, denn morgen fand ja die Beerdigung statt.

Nun würde er gehen. Er kam an Maigret vorbei. Nein, er blieb einen Augenblick stehen.

»Sie brechen auch gerade auf, Monsieur Maigret?«

Er hatte ihn nicht Herr Kommissar genannt, und vielleicht war dabei eine Spur Ziererei…«

»Ich war tatsächlich im Begriff…«

»Falls Sie in dieselbe Richtung gehen wie ich…«

Es war merkwürdig. Er war herzlich, aber seine Herzlichkeit hatte etwas Kaltes, Distanziertes.

Erstmals seit langer Zeit, vielleicht zum ersten Mal überhaupt hatte Maigret den Eindruck, daß nicht er, sondern der andere das Spiel in der Hand hatte und mit ihm machte, was er wollte.

Gleichwohl ging er mit. Kommissar Mansuy hatte dem Zwischenfall etwas verwundert zugesehen.

Ruhig wie stets, selbstbeherrscht, keineswegs spöttisch ließ ihm Bellamy beim Hinausgehen den Vortritt. Vor ihnen lag der Strand mit seinen Tausenden von Kindern und Müttern und den hellen Bademützen der Schwimmer im Blau des Meers.

»Sie wissen wahrscheinlich, wo ich wohne?«

»Man hat mich auf Ihr Haus aufmerksam gemacht, und ich habe es sehr bewundert.«

»Vielleicht würden Sie es gern von innen kennenlernen?«

Das kam so unvermittelt, so unvorhergesehen, daß Maigrets Verblüffung sich nicht gleich wieder legte. Während er mit einem Goldfeuerzeug eine Zigarette anzündete – wobei seine schönen und sehr gepflegten Hände zur Geltung kamen –, sagte der Doktor ganz beiläufig:

»Meine Bekanntschaft kommt Ihnen nicht ungelegen, nicht?«

»Man hat mir einiges von Ihnen erzählt.«

»Seit zwei Tagen wird viel von mir gesprochen.«

Das Schweigen brachte ihn nicht aus dem Konzept. Er brauchte es nicht mit Geschwätz auszufüllen. Hin und wieder grüßte ihn jemand, und dann führte er zur Erwiderung die Hand an den Hut, bedachte die gewöhnliche Marktfrau von Les Sables mit der gleichen Freundlichkeit wie die vornehme Witwe, die im offenen Wagen mit einem Fahrer in Livree vorbeifuhr.

»Früher oder später wären Sie ohnehin gekommen, nicht?«

Das konnte mancherlei bedeuten. Vielleicht auch einfach, daß Maigret sicher irgendwie eines Tages zu einer Einladung ins Haus des Arztes gekommen wäre.

»Ich habe keine Zeit zu verlieren, und zweideutige Situationen sind mir zuwider. Glauben Sie, daß ich meine Schwägerin getötet habe?«

Diesmal mußte sich Maigret schon gewaltig anstrengen, um überhaupt Schritt zu halten mit diesem Mann, der ihm so unumwunden, unter der Nachmittagssonne, in der trägen Menge der Urlauber, eine so harte Frage stellte.

Weder lächelte er, noch verwahrte er sich dagegen. Nur einige Sekunden vergingen, bis er sich seine Antwort zurechtgelegt hatte, und er brachte sie ebenso ruhig vor, wie die Frage gestellt worden war.

»Vorgestern abend«, sagte er, *»wußte ich weder, daß sie sterben würde, noch daß sie die Schwester Ihrer Frau war, und trotzdem interessierte ich mich schon sehr für sie.«*

3

Hatte Maigret gehofft, ihn so zu überrumpeln? Es war ihm jedenfalls nicht gelungen. Zunächst schien Dr. Bellamy seine Worte gar nicht gehört zu haben, weil sie im Rauschen des Meeres und im Stimmengewirr untergingen. Er hatte Zeit, noch einige Schritte zu gehen, bevor ihn die letzten Worte des Kommissars erreichten, eher wie ein stimmloser Widerhall, als von ihm ausgesprochen.

Da huschte doch noch ein Ausdruck leiser Verwunderung über sein Gesicht. Er warf einen kurzen Blick auf seinen Begleiter, als forschte er nach dem Grund einer Zweideutigkeit. Maigret seinerseits sprach bei einem Gegenspieler dieses Formats so auf jeden Reiz an und war so empfänglich für die feinsten Nuancen, daß er das Gefühl hatte, in den Gedanken des anderen lesen zu können, und nun eine leise Enttäuschung, einen unausgesprochenen Vorwurf wahrzunehmen glaubte.

Wenig später war es damit schon vorbei, Bellamy dachte nicht mehr daran; sie gingen weiter nebeneinander her den Remblai entlang und betrachteten geistesabwesend die geschwungene Linie des Strandes, die etwas Weibliches, beinahe Sinnliches hatte. Um diese Zeit wurde das Meer blasser, als erschauere es, bevor es im Sonnenuntergang aufflammte.

»Sie sind auf dem Land geboren, nicht wahr?«

Man hätte glauben können, daß ihre Gedanken, wie ihre Schritte, aufeinander abgestimmt seien, daß sie, wie ein altes Liebespaar, keine langen Sätze mehr brauchten, sondern nur noch eine Art algebraischer Kürzel.

»Ja, ich bin auf dem Land geboren.«

»Ich wuchs in einem alten Haus auf, das zum Familienbesitz gehört, wenige Kilometer von hier, in den Sümpfen.«

Er hatte nicht gesagt, in unserem Schloß, aber der Kommissar wußte, daß die Bellamys ihren Stammsitz hier in der Nähe hatten.

»Aus welcher Provinz stammen Sie?«

Andere hätten von Département gesprochen, und Maigret begrüßte nebenbei dieses Wort, das er gern hörte.

»Aus dem Bourbonnais.«

Das war keine eitle Neugier. Die Fragen hatten nichts Banales.

»Ihre Eltern waren Bauern?«

»Mein Vater war Verwalter auf einem Schloß und führte die Aufsicht über etwa zwanzig Pachthöfe.«

Es wurden genau die Fragen an ihn gerichtet, die er selbst gestellt hätte, und er nahm keinen Anstoß daran, im Gegenteil. Schweigend gingen sie weiter. Wortlos überquerten sie auch die Straße, etwas hinter dem Kasino. Dr. Bellamy nahm den Schlüssel aus der Tasche, blieb einen Augenblick, nach dem Schloß suchend, auf der Schwelle stehen und stieß den weiß gestrichenen Türflügel auf.

Maigret trat ein, ohne die geringste Verlegenheit oder Verwunderung. Er spürte unter den Füßen den dicken

Teppich, der im Flur ausgelegt war und vom ersten Schritt an einen Eindruck von Wohlstand und Behaglichkeit vermittelte.

Schwerlich ließ sich eine ruhigere und stimmungsvollere Einrichtung denken, ohne daß ihr Reichtum protzig gewirkt hätte; nichts hielt den Blick zurück, und das Licht selbst hatte etwas Betörendes, wie ein guter Wein, wie gewisse prickelnde Frühlingsvormittage. Große offene Fenster gaben den Blick auf Wohnräume frei, in denen Sessel standen, die anscheinend kurz vorher noch benutzt worden waren.

Eine breite Treppe mit schmiedeeisernem Geländer führte in die oberen Geschosse. Der Doktor ging auf sie zu:

»Wenn Sie mir in mein Arbeitszimmer folgen wollen...«

Er gab sich gar nicht erst die Mühe, eine gewisse Genugtuung zu verbergen. In seinen Augen schimmerte ein beinahe unmerklicher Stolz.

Als sie gemächlich hinaufgingen, kam es zu einem kleinen Zwischenfall. Irgendwo oben ging eine Tür auf. Für Maigret war es einfach irgendeine Tür, da er die Anordnung der Räume nicht kannte, aber der Doktor hatte das Geräusch als das einer bestimmten sich öffnenden Tür erkannt. Er hatte die Stirn gerunzelt. Man hörte Schritte auf dem Läufer oberhalb der ersten Treppenbiegung. Sie waren leicht und zögernd, die Schritte eines Menschen, der sowenig wie Maigret mit dem Haus vertraut zu sein schien.

Wer immer es war, der da herunterkam, er mußte sie gehört haben und beugte sich über das Geländer. Sie blickten hinauf, ein junges Mädchen hatte den Kopf vorgestreckt. Einen Augenblick lang kreuzten sich ihre Blicke; etwas wie Bestürzung sprach aus den Augen der Besucherin. Sie zögerte, als wollte sie nach oben ausweichen.

Statt dessen rannte sie plötzlich durch den Flur davon, und man sah kurz die Gestalt eines hochaufgeschossenen, mageren vierzehnjährigen Mädchens mit zu dünnen Beinen, in einem etwas verwaschenen Baumwollkleid. Weshalb nur fiel Maigret vor allem ein Täschchen aus lauter farbigen Perlen auf, das sie nervös zwischen ihren Händen hielt?

Es sah aus, als wollte sie einen Anlauf nehmen, als schätzte sie den Raum ab, der ihr blieb, um vorbeizukommen; sie schnellte vor und an ihnen vorbei, ihnen abgewandt, die Mauer streifend, lief immer schneller und stieß sich fast an der Haustür, nach deren Griff sie fieberhaft tastete, wie in einem Angsttraum, wenn man auf einer glatten Fläche vergeblich einer Gefahr zu entkommen versucht.

Der Doktor hatte sich gleichzeitig mit dem Kommissar umgedreht. Die Tür ging auf, tauchte das Mädchen in helleres Licht, und darin verschwand es.

Das war alles. Weiter nichts. Bellamy schaute erneut nach oben. Überlegte er, ob jemand sie vom Flur aus beobachtete? War er überrascht, verärgert, vielleicht erschrocken?

Jedenfalls hatte diese kurze Erscheinung etwas Unerwartetes, Unerklärliches.

Er hatte sich wieder in Bewegung gesetzt. Man sah nun die Tür, aus der das Mädchen gekommen war; sie war geschlossen. Sie gingen vorüber, folgten einem langen Korridor, an dessen Ende Bellamy eine andere Tür aufstieß.

»Treten Sie ein. Machen Sie es sich bequem. Sie können selbstverständlich gern Ihr Jackett ablegen, wenn Ihnen zu warm ist.«

Sie befanden sich in einem großen Arbeitszimmer, dessen Wände mit Büchern bedeckt waren. Beim Eintreten hatten sie geblendet dagestanden, so stark schien die Sonne durch die drei großen Fenster herein. Bellamy hatte mit einer geübten Handbewegung die Jalousien heruntergelassen, und das Licht war weicher geworden, wie zu Goldstaub.

Über dem Kamin hing ein schönes Frauenporträt in Öl, und man erkannte dieselbe Frau auch auf einem Foto wieder, das in einem Silberrahmen auf dem Schreibtisch stand.

Der Doktor hob den Hörer des Haustelefons ab, wartete einen Augenblick.

»Bist du es, Mutter? Brauchst du mich im Moment?«

Eine krächzende Stimme antwortete, aber gerade weil sie so krächzend war, überschlugen sich die Laute, und Maigret konnte kein Wort verstehen.

»Ja, ich bin gerade beschäftigt. Kannst du mir Francis schicken?«

Sie schwiegen, bis der Diener in weißer Leinenweste kam.

»Ich frage Sie gar nicht erst, ob Sie einen Whisky möchten... Auch keinen Portwein, nicht?... Aber einen trockenen Pouilly würden Sie nehmen?... Eine Flasche Pouilly, Francis... Für mich das Übliche...«

Er warf einen raschen Blick auf einige Briefumschläge auf seinem Schreibtisch und ließ sie dann ungeöffnet liegen.

»Sie entschuldigen mich einen Augenblick?«

Er ging hinter dem Diener hinaus. Wollte er ihn über das Mädchen befragen, dem sie auf der Treppe begegnet waren? Oder ging er zur Tür im Flur, um, kaum zurück, jene Frau wiederzusehen, die auf dem Foto und dem Porträt abgebildet war?

Kommissar Mansuy hatte nicht übertrieben. Selbst auf der Straße, unter die Menge gemischt, hätte man sie unmöglich übersehen können. Und doch war das Auffälligste an ihr ihre außergewöhnliche Schlichtheit. Sie strahlte Ruhe und Bescheidenheit aus. Sie schien scheu, gleichsam durch die Blicke eingeschüchtert, die sich auf sie hefteten. Ihr Grundgefühl mußte eine Angst vor allem sein, was neu und unbekannt war.

Sie hatte große, helle Augen, ein ins Violett spielendes Blau, ihr Gesicht hatte etwas Kindliches bewahrt, und doch war sie sehr weiblich, man ahnte ihre üppigen Formen, einen weichen, schmiegsamen Körper.

»Verzeihen Sie, daß ich Sie allein gelassen habe...«

Bellamy, der seinen Gast in Betrachtung des Bildes versunken antraf, tat, als bemerkte er es nicht. Immerhin sagte er, indem er eine Schublade aufzog:

»Ihre Schwester war ganz anders, das werden Sie gleich sehen.«

Er suchte unter mehreren Fotos eines aus und reichte es Maigret. Und das war tatsächlich ein ganz anderes Gesicht, eher länglich, mit unebenmäßigen Zügen, ein brünettes junges Mädchen im hochgeschlossenen, schmucklosen Kleid, in dem sie streng, beinahe ärmlich aussah.

»Nicht wahr, sie ähneln sich überhaupt nicht? Vermutlich hat man Ihnen schon gesagt, daß sie nicht vom gleichen

Vater stammen – was gut möglich, sogar wahrscheinlich ist... Früher oder später, geben Sie es nur ruhig zu, hätten Sie mich von selbst aufgesucht... Ich weiß nicht, welchen Vorwand Sie sich dafür ausgedacht hätten... Meinerseits gestehe ich Ihnen, daß ich, ganz unabhängig von diesen Ereignissen, den Wunsch hatte, mich mit Ihnen zu unterhalten...«

Es war merkwürdig: Seine Herzlichkeit war so schlicht, so ungekünstelt, daß sie trocken wirkte. Nie hätte er sich um ein Lächeln bemüht. Man hörte hinter der Tür Gläser klirren, und Francis erschien mit einem Tablett, auf dem eine beschlagene Flasche, Whisky, Eis und Gläser standen.

»Ich brauche Ihnen nicht zu sagen, daß Sie hier ruhig Ihre Pfeife rauchen dürfen. Es versteht sich von selbst. Ich hätte vielleicht die Beerdigung abwarten sollen, um Sie einzuladen. Sie findet bekanntlich morgen statt. Wie Sie ebenfalls wissen werden, befindet sich die Leiche nicht im Hause.«

Er zog seine Uhr aus der Tasche, und Maigret begriff: die Obduktion war wohl gerade im Gange.

»Ich hatte meine Schwägerin sehr gern. Im Grunde genommen betrachtete ich sie wie eine Schwester. Als sie in dieses Haus kam, war sie dreizehn, ein kleines Mädchen mit Zöpfen...«

Maigret dachte an das Mädchen auf der Treppe. Sein Gegenüber erriet, was hinter seiner Stirn vorging, legte die seine leicht in Falten und ließ eine kaum merkliche Spannung erkennen.

»Sie gestatten sicher, daß ich nicht das gleiche trinke wie Sie. Auf Ihr Wohl!... Lili war ein nervöses Kind, neugierig, ein wenig scheu und musikbesessen. Wenn es Sie interessiert, zeige ich Ihnen nachher, was wir – wie sie selbst – ihr ›Refugium‹ nannten…«

Er nippte an seinem Whisky, stellte das Glas hin und bedeutete dem Kommissar, indem er sich selbst hinter seinen gar nicht nach Arbeit aussehenden Schreibtisch setzte, Platz zu nehmen.

Daß er Maigret in keinem Moment die Initiative überließ, empfand dieser weder als unangenehm noch als Herablassung. Einem zufälligen Zeugen wäre er linkisch, unbeholfen erschienen. Seinem Blick fehlte jede Schärfe, seine Bewegungen waren schwerfällig; der Doktor jedoch ließ sich dadurch nicht täuschen.

»Sie sind, wie man mir gesagt hat, hier auf Urlaub und haben sich gelegentlich schon zu unserer Bridgerunde dazugesellt, die für die meisten von uns beinahe eine Sucht geworden ist. Für mich ist es ungefähr die einzige Gelegenheit, tagsüber aus dem Haus zu kommen, und ich betrachte sie eher als eine Art gewohnheitsmäßige Hygiene. Entschuldigen Sie übrigens, wenn ich mich noch nicht nach dem Befinden Ihrer Frau erkundigt habe. Sie ist in den Händen unseres besten Chirurgen. Bertrand ist ein Freund von mir.«

Er hatte bestimmt nicht gelogen, als er gleich zu Beginn gesagt hatte, daß er sich für Maigret interessiere.

»Sie sind auch mit der Atmosphäre in unserer Klinik und mit unseren Schwestern bekannt geworden.«

Ein unmerkliches Lächeln. Auch er sah Maigret als Tolpatsch zwischen den herumhuschenden Nonnen.

Eine Schwierigkeit mußte noch überwunden werden. Er

würde nicht umhin kommen, zu erklären, warum er den Kommissar so unvorbereitet eingeladen hatte, warum ihm offenbar daran gelegen war, allfällige Vorurteile gegen ihn zu zerstreuen.

Ahnte er etwas von dem Zettel, den Schwester Marie des Anges geschrieben hatte?

»Wahrscheinlich haben Sie auch schon einmal einige Zeit in einer so kleinen Stadt wie der unsern gelebt. Wohlbemerkt, ich mag sie sehr und will ihr nichts nachsagen. Ich lebe hier, weil ich es so gewollt habe...«

Und er betrachtete mit einer gewissen Zärtlichkeit den Rahmen, den er seinem Leben gegeben hatte. Vermutlich dachte er, als sein Blick auf den Jalousien haftenblieb, durch die das Licht spielte, ans Meer, auf das er morgens von seiner Praxis aus sah, mit seinen Segeln und Möwen, und an die frische, würzige Seeluft, die er schon beim Erwachen einsog.

»Ich liebe die Ruhe... Ich liebe mein Haus...«

So wie er auch die Bücher mit ihren schönen Einbänden liebte, die Nippsachen auf den Regalen, die darauf zu warten schienen, von seinen Händen liebkost zu werden.

»Ich hätte hier leicht zum unzivilisierten Sonderling werden können, und vielleicht ist das der Grund, weshalb ich mir die tägliche Bridgepartie auferlegt habe. Das scheint ganz einfach, ganz selbstverständlich, nicht? Für jeden sieht das Leben ganz einfach aus, bis zu dem Tag, an dem etwas geschieht und die Leute einen nicht mehr als den betrachten, der man ist, sondern unter dem Gesichtspunkt dieses Ereignisses. Ich glaube, ich habe Sie deshalb hergebeten. Im ersten Augenblick habe ich nicht lange überlegt.

Dann fing ich wiederholt Ihren Blick auf. Erlauben Sie mir, daß ich Ihnen eine indiskrete Frage stelle... Wie sind Sie zu Ihrem Beruf gekommen?«

Heute war es an Maigret, braver als die bravsten seiner ›Kunden‹ Rede und Antwort zu stehen.

»Mein Traum war immer, Arzt zu werden, und ich habe sechs Semester Medizin studiert. Der Tod meines Vaters setzte meinem Studium ein Ende, und durch Zufall kam ich dann zur Polizei.«

Er kümmerte sich nicht darum, ob seine Worte in dieser überfeinert bürgerlichen Umgebung Anstoß erregten.

»Ich wollte Ihnen eben sagen«, versetzte Bellamy, »daß Ihr Blick immer eine Diagnose zu suchen scheint. Seit zwei Tagen werde ich von den Leuten angegafft, und bei einigen mischt sich in die Neugier eine unwillkürliche Angst. Doch, doch! Ich spüre es. Ich glaube nicht, daß man mich besonders mag, denn ich gebe mir keine Mühe, mich beliebt zu machen. Wissen Sie, daß das letztlich die Haltung ist, die einem die Mitmenschen am wenigsten verzeihen? Wahrscheinlich hat deshalb kaum jemand den Mut, sein Leben zu leben, ohne sich darum zu kümmern, was die andern von ihm halten.

Ich habe mich bis vor zwei Tagen nicht darum gekümmert. Und es ist mir auch heute noch egal. Trotzdem hatte ich das Bedürfnis, mich mit Ihnen auszusprechen...«

Und als befürchtete er, mit diesen Worten eine gewisse Zuneigung oder Schwäche verraten zu haben, fügte er, mit jenem kaum angedeuteten Lächeln, das Maigret allmählich kannte, rasch hinzu:

»Vielleicht wollte ich auch einfach vermeiden, daß es zu

Verwicklungen kommt? Ich merkte, daß Sie neugierig geworden waren, daß Sie nun, und zwar um jeden Preis, Bescheid wissen wollten. Es gibt Männer, die lästige Dinge lieber auf später verschieben, und andere, die sie immer gleich erledigen. Ich gehöre zu letzteren.«

»Und ich bin ein furchtbar lästiges ›Ding‹, nicht wahr?«

»Nicht so furchtbar. Sie kennen mich nicht. Sie kennen auch die Stadt nicht. Alles, was Sie erzählt bekommen, birgt die Gefahr, ein verzerrtes Bild zu vermitteln, und das mögen Sie nicht, geben Sie es nur zu. Sie haben erst Ruhe, wenn Sie die Wahrheit *spüren.*«

Er ergriff das Foto seiner Schwägerin und betrachtete es.

»Ich mochte dieses Mädchen sehr, aber ich sage Ihnen noch einmal, daß ich für sie nur brüderliche Gefühle hatte. Das ist nicht die Regel, ich weiß es wohl. Es kommt leicht vor, daß sich ein Mann in zwei Schwestern verliebt, erst recht, wenn beide unter seinem Dach wohnen. Hier verhielt es sich jedoch nicht so, und Lili ihrerseits war auch nicht in mich verliebt. Ja mehr noch. Ich war genau das Gegenteil dessen, was sie mochte. Sie fand mich kalt und zynisch. Sie sagte oft, ich hätte kein Herz.

All das beweist natürlich nicht, daß der Unfall wirklich ein Unfall war, aber …«

Maigret hörte ihm zu, in Gedanken aber immer noch bei dem Mädchen auf der Treppe. Es war nicht zu bestreiten, daß Dr. Bellamy von ihrer Anwesenheit in seinem Haus betroffen gewesen war. Zunächst war er überrascht, hatte sie im ersten Augenblick wie eine Wildfremde angesehen und sich offensichtlich gefragt, was sie bei ihm suchte.

Dann, als ihre Gestalt auf dem Treppenabsatz erschienen war, hatte er sie erkannt, das ließ sich an seinen Augen ablesen.

Wahrscheinlich wurde ihm im selben Augenblick auch klar, wem ihr Besuch galt.

Man war es in diesem Haus vermutlich nicht gewohnt, neue Gesichter zu sehen. Hatte nicht Kommissar Mansuy von der Eifersucht des Doktors gesprochen und erwähnt, er lasse seine Frau von seiner Mutter überwachen, wenn er außer Haus gehe, und sei es auch nur zum Bridge?

Nun war aber jemand gekommen. Und sofort hatte Bellamy die alte Dame angerufen. Wenn der Besuch des kleinen Mädchens ihr gegolten hatte, konnte man davon ausgehen, daß sie es ihm gleich gesagt hätte, wiewohl ihr Sohn es in Anwesenheit von Maigret vermieden hatte, sich näher zu erkundigen.

Sie hatte nichts davon gesagt. Woraufhin er hinaus und zur Tür im Flur gegangen war.

Was hatte der Doktor soeben gesagt?

»All das beweist natürlich nicht, daß der Unfall wirklich ein Unfall war, aber...«

Und Maigret hatte ihm darauf beinahe gedankenlos erwidert:

»Ich bin überzeugt, daß Sie nie die Absicht hatten, Ihre Schwägerin zu töten...«

Falls dem Arzt die Nuance nicht entging, so ließ er sich jedenfalls nichts anmerken.

»Andere sind sich da nicht so sicher und werden es weiterhin in Zweifel ziehen. Für mich persönlich war es wichtig, Ihnen die Türen dieses Hauses zu öffnen, und sie stehen Ihnen auch künftig offen. Ich hoffe, daß Sie sich davon überzeugen werden, daß es hier nichts zu verbergen gibt. Möchten Sie einen Blick in die Zimmer meiner Schwägerin werfen? Sie werden bei dieser Gelegenheit auch gleich meine Mutter kennenlernen, die sich vermutlich gerade dort aufhält.«

Er trank sein Glas aus und wartete gleichmütig, bis auch sein Besucher den letzten Schluck genommen hatte. Dann öffnete er eine Tür, und sie durchquerten eine zweite, intimer wirkende Bibliothek, in der ein grüner Diwan stand. Durch eine weitere Tür gelangten sie, immer noch auf der Seite zum Meer hin, in ein sehr nüchtern eingerichtetes, beinahe kahles Zimmer, in dem ein großer Konzertflügel einigen Platz einnahm. An den Wänden hingen Fotografien von Komponisten. Nur wenige Sessel, kaum Decken oder Läufer und ein einfarbiger Wollteppich.

»Hier sind wir also bei ihr«, sagte der Arzt, während er auf eine andere, angelehnte Tür zuging.

Dann wandte er sich an jemanden, der für Maigret noch nicht sichtbar war:

»Mutter, darf ich dir Kommissar Maigret vorstellen, von dem du schon gehört hast.«

Aus dem Nebenzimmer vernahm man ein grunzendes Geräusch. Eine sehr kleine, sehr dicke Frau, ganz in Schwarz gekleidet, erschien, an einem Stock mit Elfenbeingriff gehend. Ihr Blick war argwöhnisch, alles andere als liebenswürdig. Sie musterte den Eindringling von Kopf bis Fuß und sagte nichts weiter als:

»Monsieur…«

»Es tut mir furchtbar leid, Madame, Sie gerade heute zu stören, aber Ihr Sohn bestand darauf, daß ich ihn begleite.«

Sie sah den Doktor mißgelaunt an, und dieser erklärte mit seinem ganz leisen Lächeln:

»Monsieur Maigret verbringt seinen Urlaub in Les Sables. Ich hatte schon immer den Wunsch, ihn kennenzulernen, und da er uns bald wieder verlassen wird, befürchtete ich, die Gelegenheit zu verpassen. Wir haben über Lili gesprochen, und es ist mir ein Anliegen, ihm ihr ›Refugium‹ zu zeigen.«

»Es ist doch nicht aufgeräumt«, murrte sie.

Trotzdem ließ sie die beiden vorbei, und Maigret erblickte ein Zimmer, das fast ebenso kahl, so wenig weiblich war wie das Musikzimmer, obwohl die Kleider aus dem Schrank geräumt und nun stapelweise auf dem Bett ausgebreitet waren. Da gab es unter anderem eine ganz schwarze, schmucklose Samtmütze, die für das junge Mädchen eine Art Uniformstück gewesen sein mußte.

An den Wänden, auf den Möbeln nicht ein einziges Foto, nichts, was an ein Familienleben erinnert hätte.

»Das ist also die Art von Umgebung, die ihr zusagte. Sie hatte weder Freundinnen noch einen Freund. Einmal in der Woche ging sie nach Nantes, wo sie einen Lehrer hatte und Stunden nahm. Wenn es in der Gegend ein interessantes Konzert gab, fuhr ich sie hin... Wir können hier hinuntergehen...«

Maigret machte eine leichte Verbeugung vor der alten Dame und folgte seinem Gastgeber eine Wendeltreppe hinab. Sie befanden sich nun wieder im Erdgeschoß, in einer Art Wintergarten, der in einen sehr gepflegten Garten hinausführte, wo einige schöne Bäume Schatten spendeten. Rechterhand sah man in eine helle, geräumige Küche hinein.

»Haben Sie es schon einmal bedauert, Polizist geworden zu sein?«

»Nein.«

»Das dachte ich mir. Ich habe mir aber mehrmals die Frage gestellt, als ich Sie ansah.«

Sie durchquerten die Wohnräume, und Dr. Bellamy öffnete die Haustür.

»Ich stelle gerade fest, daß Sie mir keine einzige Frage gestellt haben.«

»Wozu auch?«

Und Maigret zündete seine Pfeife wieder an, die er mit dem Daumen ausgelöscht hatte, als sie in die Zimmer des jungen Mädchens gekommen waren. Nun, da er sich von seinem Gast verabschiedete, schien es Bellamy nicht ganz wohl in seiner Haut zu sein. War er von diesem Besuch enttäuscht? Vielleicht beunruhigte ihn Maigrets Schweigen doch ein wenig? Nicht ein einziges Mal hatte der Doktor von seiner Frau gesprochen, und es war nie die Rede davon gewesen, ihr den Kommissar vorzustellen.

»Ich hoffe, Monsieur, daß ich das Vergnügen haben werde, Sie wiederzusehen.«

»Ganz meinerseits«, knurrte Maigret und ging.

Er war beinahe zufrieden mit sich. Ruhig vor sich hin paffend, trottete er der Innenstadt zu. Dann sah er auf die Uhr und machte kehrt, indem er sich auf seinen üblichen Rundgang besann und die Richtung dahin einschlug, wo er jetzt hätte sein sollen und wo er das vertraute Bild des Hafens und der ausgebreiteten Segel wiederfand, den Geruch nach Heizöl und Teer und die Schiffe, die durch die Fahrrinne glitten und vor dem Fischmarkt anlegten.

Allerdings drehte er sich nun nach allen Mädchen um, die vorbeigingen, und warf in jede offene Tür einen Blick, in der Hoffnung, die Kleine von der Treppe irgendwo zu sehen.

Sie hatte nicht das typische Kostüm mit dem kurzen schwarzen Seidenrock angehabt, wie es die meisten Fischertöchter oder die Arbeiterinnen aus den Sardinenfabriken trugen. Trotzdem kam sie aus ganz einfachen Verhältnissen. Ihr Kleid war verwaschen, ihre schwarzen Wollstrümpfe ausgebessert, und ihre kleine bunte Perlentasche stammte aus einem Kramladen oder von einem Jahrmarkt in der Umgebung.

Hinter dem Hafen begann ein Gewirr enger Gassen, in denen der Kommissar jeden Tag einmal umherstreifte. Die Häuser waren nicht mehr als einstöckig, manche bestanden nur aus dem Erdgeschoß. In fast allen – und das hatte er außer in Les Sables noch nirgends gesehen – diente der Keller als Küche, in die man von der Straße über eine Steintreppe hinunterging.

Aller Wahrscheinlichkeit nach wohnte das Mädchen in diesem Viertel.

Er betrat sein Fischercafé und trank ein Glas Weißwein. Dr. Bellamy war sicherlich, kaum hatte er die Tür hinter sich geschlossen, mit großen Schritten die Treppe hinaufgeeilt, um sich bei seiner Frau oder bei seiner Mutter nach dem Besuch des jungen Mädchens zu erkundigen. Aber bei welcher von beiden?

Maigret machte seine übliche Runde, aber ohne sich dessen recht bewußt zu sein, kam er doch vom Weg ab und stand plötzlich vor dem Polizeikommissariat. Nicht weit davon befand sich der Bahnhof. Zweifellos war eben ein Zug angekommen, denn man sah Leute mit Koffern vorübergehen.

Sein Blick blieb auf einem Paar haften, oder vielmehr blieb er verblüfft stehen, als er eine Frau sah, die auf schon fast unheimliche Weise den beiden Porträts im Arbeitszimmer des Doktors glich.

Sie war nicht mehr jung, ging wohl schon auf die fünfzig zu, und doch hatte sie die gleichen duftig blonden Haare, die gleichen violetten Augen. Ihre Gestalt war vielleicht ein bißchen weniger schlank, aber sie hatte doch eine erstaunliche Leichtigkeit und Anmut in ihren Bewegungen bewahrt.

Die Frau trug ein weißes Kleid und einen weißen Hut; allein dadurch hob sie sich von der alltäglich gekleideten Menge auf der Straße ab. Sie ließ eine feine Parfümwolke hinter sich zurück. Sie ging ziemlich schnell, gefolgt von einem etwa fünfzehn Jahre älteren Mann, dem es weniger wohl zu sein schien.

Sie trug einen kleinen, sehr luxuriösen Handkoffer aus Krokodilleder, während ihr Begleiter mit zwei Reisekoffern beladen war. Es konnte sich unmöglich um jemand andern als Madame Godreau handeln, die Mutter Odette Bellamys und Lilis.

Man hatte ihr nach Paris telegrafiert, und sie war zur Beerdigung herbeigeeilt.

Maigrets Augen folgten dem Paar. In der Nähe gab es mehrere Hotels, aber sie betraten keines davon. Würden sie an der Tür des Hauses klingeln, aus dem Maigret eben gekommen war?

Er betrat das Kommissariat und stieg langsam die staubige Treppe hinauf. Er war erst einmal hier gewesen, und schon fühlte er sich zu Hause. Ohne anzuklopfen, stieß er die Tür zum Büro der Inspektoren auf, das wie schon gestern beinahe leer war. Es war nach sechs Uhr. Kommissar Mansuy war damit beschäftigt, die Post zu unterschreiben.

»Madame Godreau ist angekommen«, teilte Maigret mit und setzte sich auf die Tischkante.

»Sie sagen… Ach, für die Beerdigung natürlich… Woher wissen Sie das eigentlich?«

»Ich sah sie eben aus dem Bahnhof kommen.«

»Sie kennen sie?«

»Ich habe ein Bild ihrer Tochter gesehen, und das genügt, um sie zu erkennen.«

»Ich bin ihr noch nie begegnet. Sie soll eine Schönheit sein, auch jetzt noch…«

»Das ist sie… Und sie weiß es…«

Noch ein paar Unterschriften.

»Wie war Ihr Nachmittag? Interessant?«

»Dr. Bellamy war sehr gesprächig und hat mir sein Haus gezeigt. Eine Frage: Kennen Sie zufällig ein Mädchen, vierzehn oder fünfzehn Jahre alt, groß und mager, mit einem rosa Baumwollkleid, schwarzen Wollstrümpfen und rötlichen Haaren?«

Der Kommissar sah ihn erstaunt an.

»Das ist alles, was Sie von ihr wissen?«

»Sie hat ein Täschchen aus lauter kleinen bunten Perlen.«

»Und Sie wissen nicht, wo sie wohnt?«

»Nein.«

»Und kennen auch ihren Namen nicht?«

»Weder ihren Namen noch ihren Vornamen.«

»Sie wissen auch nicht, wo sie arbeitet?«

»Ich weiß nicht einmal, ob sie arbeitet.«

»Sind Sie sich bewußt, daß Les Sables doch immerhin etwa zwanzigtausend Einwohner hat und daß es von solchen Mädchen, wie Sie eines beschrieben haben, in den Straßen nur so wimmelt?«

»Ich möchte aber doch dieses eine wiederfinden.«

»In welchem Viertel sind Sie ihr begegnet?«

»Bei Dr. Bellamy.«

»Und Sie haben ihn nicht gefragt... Entschuldigung, ich verstehe... Das ist natürlich schon ein Hinweis...«

Maigret lächelte, stopfte gemütlich eine neue Pfeife.

»Hören Sie. Ich habe das Gefühl, Ihnen auf die Nerven zu gehen. Ich bin hier im Urlaub, daran ist nicht zu rütteln. Was in Les Sables geschieht, geht mich nichts an. Und doch würde ich viel darum geben, dieses Kind wiederzufinden.«

»Ich kann es versuchen.«

»Ich weiß nicht, ob sie wieder beim Doktor aufkreuzen wird. Ehrlich gesagt, ich glaube nicht. Aber wer weiß, ob sie sich nicht ums Haus herumtreiben wird? Es ist auch ganz gut möglich, daß sie morgen irgendwo am Weg steht, wenn der Leichenzug vorbeikommt. Wenn Sie vielleicht Ihren Männern einen Wink geben könnten...«

Mansuy begann, unruhig zu werden.

»Glauben Sie, daß er seine Schwägerin getötet hat? Der Gerichtsarzt hat mich soeben angerufen...«

»Und sein Befund ist negativ, ich zweifle keinen Moment daran.«

»Stimmt. Haben Sie das schon gehört? Der Schädel schlug direkt auf der Straße auf. Der Körper hat sich ein- oder zweimal überschlagen – überkugelt würde man von einem Hasen sagen. Aber alle Wunden stimmen mit den Rissen und Flecken an den Kleidern überein. Es kann sein, daß sie gestoßen wurde, gewiß, aber ohne daß man sie vorher geschlagen oder sie sich gewehrt hätte...«

»Sie wurde nicht gestoßen.«

»Sie glauben also, es war ein Unfall?«

»Ich weiß nicht.«

»Eben haben Sie gesagt, sie sei nicht gestoßen worden...«

»Ich weiß überhaupt nichts«, seufzte Maigret, der nachdenklicher geworden war. »Ich weiß in Wirklichkeit nicht mehr als Sie. Und vielleicht weniger, denn ich kenne Les Sables nicht. Trotzdem möchte ich unbedingt dieses Mädchen wiederfinden. Und ich würde mich auch gern unter vier Augen mit Schwester Marie des Anges unterhalten, was noch schwieriger ist. Haben Sie schon einmal eine Nonne vorgeladen?«

»Nein«, erwiderte der kleine Kommissar verblüfft.

»Ich auch nicht. Ich kann nur hoffen, sie schreibt mir noch einmal.«

Er redete zu sich selbst, ohne sich die Mühe zu geben, seinen Kollegen ins Bild zu setzen.

»Gehen wir ein Gläschen trinken... Ihr Polyte von gestern übrigens, hat er gestanden?«

»Er wird nie gestehen. Er hat in seinem Leben noch nie gestanden. Es ist mindestens das zehnte Mal, daß wir ihn auf frischer Tat ertappen, und jedesmal streitet er es hartnäckig ab.«

Sie gingen in eines jener Cafés mit ihrer ewig gleichen Kundschaft. Den ganzen Weg entlang hatte Maigret nicht aufgehört, nach seinem Mädchen Ausschau zu halten.

»Sehen Sie, Mansuy, irgend etwas haben wir noch nicht richtig heraus, irgendwo ist noch ein Haken, und ich habe das Gefühl, wenn wir das Mädchen etwas näher ansehen könnten…«

Statt des gewohnten Weißweins trank er noch einen Aperitif. Und als dann Mansuy unbedingt noch eine Runde ausgeben wollte, nahm er noch einen zweiten – zusätzlich zu all den Weißweinen, die im Lauf des Tages schon zusammengekommen waren. Um ihn herum hing eine einzige dicke Rauchwolke im Raum, und die Luft war so von Alkohol durchtränkt, daß es noch auf der Straße draußen danach roch.

»Hören Sie, Mansuy…«

Er faßte seinen Kollegen am Arm.

»Ich glaube, es ist wichtiger, als es den Anschein macht, die Kleine wiederzufinden… Es geht mich ja nichts an, wie gesagt. Ich spreche nicht so sehr als Mann vom Fach…«

»Wenn Sie möchten, daß wir aufs Kommissariat zurückgehen, werde ich gleich heute abend einen Vermerk schreiben.«

»Wissen Sie, ob der Diener des Doktors verheiratet ist und ob er im Hause schläft?«

Der arme Mansuy! Bestimmt hatte er sich ganz andere Vorstellungen davon gemacht, wie ein Pariser Kriminalkommissar eine Untersuchung dieser Art durchführen würde.

»Ich werde mich erkundigen... Ich habe mich zugegebenermaßen nie darum gekümmert, ob...«

Maigret sprach zu sich selbst.

»So könnten wir in Erfahrung bringen...«

Dann, zu Mansuy:

»Gehen wir zu Ihnen ins Büro, einverstanden... Seien Sie mir nicht böse... Ich kann es Ihnen nicht erklären... Ich habe einfach das Gefühl, daß wir so weiterkommen...«

Sie betraten das Büro des Sekretärs im Erdgeschoß, wo auf einem Spirituskocher eine kleine Kaffeekanne stand.

»Sagen Sie, Dubois, kennen Sie zufällig den Diener Dr. Bellamys?«

»Ein Blonder, ziemlich jung?«

Maigret antwortete gleich selbst:

»Ja. Er heißt Francis...«

»Ein Belgier«, bestätigte der Sekretär. »Ich erinnere mich, weil er zwei- oder dreimal hier war, um seine Aufenthaltsgenehmigung verlängern zu lassen...«

»Verheiratet?«

»Augenblick... Er steht auf meiner Liste... Ich hole sie gleich...«

So einfach war das aber nicht. Die Liste war nicht aufzutreiben. Der Sekretär vom Dienst war schon gegangen und hatte die Schlüssel einiger Schubladen mitgenommen. Man fand die Liste endlich an einer Stelle, wo sie nicht hätte sein sollen.

»Hier ist es... Francis-Charles-Albert Decoin, geboren in Huy... Zweiunddreißig Jahre alt... Verheiratet mit Laurence Van Offel, Köchin... Auch sie hat ihre Aufenthaltsgenehmigung hier geholt... Warten Sie... ›Hôtel du Remblai‹… Nein, da ist sie nicht mehr… Die letzte Ausgabe ist das Hotel ›Bellevue‹… Noch vor zwei Monaten jedenfalls arbeitete sie dort als Küchenmädchen…«

Mansuy schaute Maigret immer noch neugierig an. Als sie das Kommissariat verließen, fragte er schüchtern:

»Wollen Sie wirklich…«

Er sprach nicht zu Ende. Mit einer Handbewegung wies er auf die Stadt, die Hotels. War es möglich, daß sich sein illustrer Kollege nun anschickte, zweifelhaften Adressen nachzulaufen, Portiers und Hausangestellte auszufragen, so wie ein Anfänger, der es zum Inspektor bringen will?

»Mit Verlaub werde ich jemanden von meinen Leuten beauftragen…«

Na wirklich? Ausgerechnet jetzt, da Maigret endlich Boden unter die Füße bekam? Warum auch nicht gleich Schwester Marie des Anges und Dr. Bellamy vorladen?

Endlich hatte er etwas Bestimmtes zu tun.

Etwas, das vielleicht völlig belanglos war oder sich als belanglos herausstellen würde…

Trotzdem vergrub er seine Hände in den Taschen wie im tiefsten Winter, und seine Zähne bissen energischer auf das Mundstück seiner Pfeife.

»Halten Sie mich auf dem laufenden?… Die Kleine lasse ich aber gleichwohl suchen, nicht?…«

Maigret sparte sich eine Antwort und gab ihm an der nächsten Ecke die Hand. Dann wandte er sich dem Hotel ›Bellevue‹ zu, dem imposantesten und luxuriösesten am Remblai.

Ein Küchenmädchen, das war wenigstens einmal etwas anderes als die ewigen Nonnen und Neurologen.

»Sagen Sie bitte...«, wandte er sich an den Portier, »ich möchte mit Laurence Decoin sprechen, die hier in der Küche arbeitet...«

»Da müssen Sie zum Lieferanteneingang gehen... Links um die Ecke, in die Sackgasse hinein... Dort sehen Sie eine Milchglastür und einen Lastenaufzug... Das ist der Eingang...«

Einige Augenblicke später war Maigret, ohne daß ihn jemand aufgehalten oder hereingebeten hätte, schon im Begriff, eine schmutziggelbe Hintertreppe hinaufzusteigen, die an die Kulissen eines Provinztheaters erinnerte. Als er, zwischen den Flügeln einer Schwingtür, durch die geschäftige Kellner hinein- und hinauseilten, einen hünenhaften Metzger anhielt, sah ihn dieser von oben herab an:

»Was ist los?«

»Ich möchte mit Laurence Decoin sprechen.«

Woraufhin der andere fast wild wurde:

»Und was noch... Wer sind Sie überhaupt, junger Mann?...«

»Sagen wir, ein Freund...«

»Na wirklich?... Laurence!...« schrie er in die Hinterräume. »Komm her, ich will dir einen Freund vorstellen... Deinen Freund, angeblich...«

Eine dickliche Blondine näherte sich, wischte sich die Hände an der Schürze ab, und es war gleich offensichtlich, daß der junge Diener des Arztes in ihrem Leben nicht viel zählte; jedenfalls hatte sie gehörig Respekt vor dem behaarten Metzger.

»Den kenne ich nicht, diesen Mann, bestimmt nicht, Fernand«, kreischte sie mit argem Akzent.

»Na, und nun?... Was sagen Sie dazu?«
Er kam näher, schwer und drohend wie ein Panzer.
Maigret fühlte, wie er wieder auflebte.

4

Ich bitte um Entschuldigung«, sagte er betont höflich. »Es stimmt, daß ich die Dame nicht kenne, daß ich sie noch nie gesehen habe. Ich möchte sie nur fragen, wo ich ihren Mann außerhalb des Hauses seiner Herrschaft treffen könnte.«

Triumphierend wandte sie sich nun zunächst an Fernand:

»Da hast du's, mit deiner Eifersucht, es ist eben doch nicht so, wie du glaubst ...«

Dann zu Maigret:

»Was hat er denn wieder angestellt, Francis?«

Durch eine Tür gleich neben ihnen gelangte man in ein längliches Zimmer, in dem den ganzen Tag Licht brannte, denn von draußen fiel es nur spärlich durch ein zu hoch angebrachtes Kippfenster ein. Wie in einer Kaserne nahm ein Tisch mit zwei seitlichen Bänken die ganze Länge ein. Das war die Kantine fürs Personal, wo im Augenblick nur, ganz hinten, zwei Etagenkellner saßen und schweigend ihre Suppe löffelten. Hier hinein führte man den Kommissar, damit er den Kellnern nicht im Weg stand.

»Sie sind von der Polizei, was? Mir kann es ja übrigens egal sein. Es hat sogar sein Gutes, wenn sie ihm mal etwas aufbrummen, denn dann komme ich leichter zu meiner Scheidung. Nicht wahr, Fernand?«

Sie war ein strammes, eher grobknochiges Frauenzimmer, aber doch munter, mit einer lustigen Stupsnase.

»Wenn ich nur schon daran denke, daß ich für diesen Kerl aufkommen muß, sein Kostgeld bezahle, mit dem, was ich hier verdiene, nur weil dieser Faulpelz sich taub stellt...«

»Sie leben nicht mit ihm zusammen?«

Da mischte sich Fernand ein, um das ein für allemal klarzustellen:

»Seit zwei Jahren leben *wir* zusammen.«

»Wissen Sie, ob er ein Zimmer in der Stadt hat?«

Die dicke Laurence brach in Gelächter aus:

»Ein Zimmer, aber sicher, mit allem, was dazugehört! Und Pantoffeln unter dem Bett...«

Plötzlich wurde sie mißtrauisch:

»Sind Sie nicht von der hiesigen Polizei?«

»Ich komme aus Paris.«

»Denn jemand von hier müßte doch immerhin eine Ahnung haben, daß er's mit der Popine hat...«

»Mit der Popine?«

»Die alte Popineau, genau... Die Fischhändlerin... Die mit dem schönen Laden an der Ecke der Rue de la République... Ein übles Stück, sag ich Ihnen, die läßt sich nicht mit ein paar hohlen Worten abspeisen... Sie soll schon drei Männer unter die Erde gebracht haben, und die waren nicht von Pappe, so ist sie denn am Totensonntag immer ausgebucht... Der arme Francis wird's auch nicht lange machen... Ich frage mich, wie er es überhaupt fertigbringt, das Bürschchen, daß sie bei ihm auf ihre Rechnung kommt... Wie auch immer, ab zehn Uhr abends finden Sie ihn bestimmt bei ihr... Sagen Sie übrigens, ist es was Schlimmes?«

Maigret wich einer Antwort aus, um noch mehr zu erfahren.

»Es übermannt ihn einfach... Er kann nicht anders, als hie und da etwas zu stehlen... Und dabei macht er das nicht einmal, um es zu verkaufen... Sondern um es Frauen zu schenken... Weil er sich so gern vor ihnen brüstet...«

Sie lachte auf und sah dabei augenzwinkernd Fernand an:

»Jeder kriegt sie eben mit dem herum, was er hat, nicht wahr, Monsieur?«

Maigret aß allein in einer Ecke zu Abend, und er trug eine etwas andere Miene zur Schau als die, die man an ihm im Hotel ›Bel Air‹ kannte. Monsieur Léonard erwartete ihn vergeblich zum abendlichen Plausch im Hinterzimmer. Nach Beendigung der Mahlzeit ging er hinaus und durch das Dunkel, das von den hellen Punkten der Gaslaternen durchbrochen war, und auch die Wellen leuchteten heute in der Schwärze der Nacht auf.

Es war noch zu früh, kurz vor halb zehn. Er ging am Haus des Doktors vorbei; es brannte Licht. Dann der Hafen mit seinen kleinen Kneipen, in die er sich wohl oder übel einen Augenblick setzen mußte. Er hätte kaum vermocht, zu sagen, was er dachte. Alles war verschwommen, unzusammenhängend – angefangen bei Schwester Marie des Anges und der süßlichen Klosteratmosphäre, die sogar auf Madame Maigret abfärbte.

Dann der Doktor mit seinem schönen Patrizierhaus, seinen ruhigen Sätzen und seinem scharfen Blick.

Und plötzlich fand er sich, eines kleinen Mädchens mit fahlen Haaren wegen, in den schäbigen Hinterräumen des ›Hôtel Bellevue‹ wieder, Fernand dem Metzger und der dicken Laurence mit ihrem aufgeregten Lachen gegenüber.

Die Gassen, in denen man hin und wieder an den gelblichen Rechtecken eines Ladens vorbeikam, waren fast menschenleer, und die meisten Fenster standen offen; die Leute gingen früh zu Bett, man ahnte von der Straße aus, wie sie sich in ihren schweißnassen Betten herumwälzten. Zuweilen hörte er, wenn er an einem dieser dunklen Fenster vorüberging, dahinter ein Flüstern, so nah, daß er den Eindruck hatte, die Intimität der Leute zu stören, und beinahe, wie in der Klinik, auf Zehenspitzen gegangen wäre.

Er ließ sich das Haus Madame Popineaus zeigen, im neuen Stadtteil am Ende des Hafenbeckens; ein hübsches Haus aus rosa Backsteinen. Die Rolläden des Geschäfts waren heruntergelassen. Es gab einen privaten Eingang, eine Tür aus gebeiztem Eichenholz mit einem Briefkasten und einem Messinggriff. Er beugte sich hinunter, wie ein kleiner Junge, und sah Licht durchs Schlüsselloch.

Es war elf Uhr, als er klingelte. Er hörte Stühle rücken, Stimmen, Schritte. Die Tür ging auf, im Flur roch es nach Linoleum; rechts ein Kleiderständer aus Bambus, Pflanzen in Tontöpfen.

»Entschuldigen Sie, Madame...«

Vor ihm stand eine Frau von ungefähr gleichem Kaliber wie die dicke Laurence, feist und kleingewachsen auch sie, aber brünett, gekleidet wie alle Frauen hier, mit einer hübschen gestärkten Haube, die ihr Gesicht heller erscheinen ließ.

»Was ist denn?« fragte sie und versuchte, im Dunkel seine Züge zu erkennen.

»Ich hätte gern ein paar Worte mit Francis gesprochen.«

»Kommen Sie herein.«

Die Tür links war offengeblieben. Sie führte ins Eßzimmer, das mit seinem rot-gelben Linoleum, seinen Kupfertöpfen, Nippsachen und Henri-II-Möbeln ganz neu gemacht schien.

Dr. Bellamys Diener saß in Filzpantoffeln da, ohne Jacke und ohne Weste, das Hemd auf der Brust geöffnet, tief in einem Sessel versunken, die Beine übereinandergeschlagen, ein Gläschen in Reichweite, die Pfeife im Mund, und las friedlich seine Zeitung.

Ihm gegenüber stand ein zweiter Sessel, der der Popine, daneben ebenfalls ein kleines Glas und eine Illustrierte.

»Monsieur Maigret möchte dich sprechen, Francis...«

Der Belgier war weniger überrascht als Maigret selbst.

»Sie kennen mich?« wollte der Kommissar wissen.

»Aber ich sehe Sie doch jeden Tag vorbeigehen!... Ich habe Sie gleich erkannt, vor über einer Woche... Ich habe zu Babette gesagt: ›Wenn das nicht der berühmte Kommissar Maigret ist, meine Liebe, dann bin ich nicht mehr die Popine...‹

Ich muß noch irgendwo eine Illustrierte von vor drei Wochen liegen haben mit einem Artikel über Sie, auch mit einem schönen Foto...«

Francis hatte sich erhoben. Er war verlegen, als käme er sich ohne seine Livree vor Maigret nackt vor.

»Hab doch keine Angst!... Ich bin sicher, daß er nicht deinetwegen hier ist, sondern wegen deines Chefs... Störe ich, Herr Kommissar?... Sie brauchen es nur zu sagen, wenn ich in mein Zimmer verschwinden soll... Falls Sie allerdings Auskünfte brauchen, kann ich Ihnen wahrscheinlich eher behilflich sein als Francis... Setzen Sie sich... Sie trinken doch ein Gläschen mit?... Ich muß sagen, daß mich Verbrechen schon immer fasziniert haben, und deshalb kenne ich Sie auch seit mindestens fünfzehn Jahren... Wenn ich von einem schönen Mord höre und er auch recht kompliziert ist, sage ich immer: ›Wenn sich nur Maigret damit befaßt...‹

Und am Morgen schlage ich die Zeitung auf, schon bevor ich das Wasser für den Kaffee aufsetze...«

Maigret nahm Platz. Das hatte etwas ganz Selbstverständliches. Es herrschte eine vertrauliche, fast familiäre Stimmung. Die Fischhändlerin war auf ihre Möbel, auf ihr tadelloses Kupfer, ihren Zierat, auf diese typisch kleinbürgerliche Häuslichkeit gewiß sehr stolz.

War denn das, wovon sie träumte, im Grunde so verschieden von Madame Maigrets Wünschen?

Francis fühlte sich weniger wohl und wollte seine Jacke überziehen. Die Frau hielt ihn davon ab.

»Na hör mal, vor dem Kommissar brauchst du dir doch keinen Zwang anzutun! Wenn das alles stimmt, was sie über ihn schreiben, dann ist es ihm ganz egal, ob du im Hemd dasitzt, und er wird es sich selbst gern bequem machen...«

Eine Tür zur Linken führte in den Laden, der aus lauter Marmor war und von dem ein süßlicher Fischgeruch herüberdrang.

»Glauben denn Sie, Monsieur Maigret, daß es ein Unfall war?«

Heute war er dran, kein Zweifel. Schon bei Dr. Bellamy hatte er sich einem regelrechten Verhör unterzogen.

»Ich will ja diesem Mann gewiß nichts Schlechtes nachsagen... Ich kenne ihn von klein auf... Ich glaube, ich bin drei oder vier Jahre älter als er, das bekenne ich ganz freimütig...«

Sie war erstaunlich gut erhalten, wirklich noch attraktiv, obwohl sie die Fünfzig überschritten hatte. Sie hatte Maigrets Glas gefüllt und hob das ihre, um anzustoßen.

»Ich habe auch seinen Vater gekannt... Er war vom gleichen Schlag... Nicht eben gesprächig... Und doch könnte man nicht sagen, sie seien überheblich... Es sind eben Herren, aber sie lassen es einen nicht die ganze Zeit spüren... Die Mutter zum Beispiel, das ist wieder etwas ganz anderes... Diese Frau, Monsieur Maigret, erlauben Sie, daß ich mich da klar ausdrücke, ist eine richtige Giftkröte... Und wenn nun etwas schiefgelaufen ist, dann, davon bin ich überzeugt, durch ihre Schuld... Glauben Sie, man wird den Doktor verhaften?«

»Davon ist nicht die Rede.«

Es war peinlich. Er hatte überhaupt keinen Auftrag, wollte nur eine kleine Auskunft. Und morgen würde dank Popine die halbe Stadt wissen, daß Kommissar Maigret Dr. Bellamy nachspürte.

Das konnte weitreichende Folgen haben und eine üble Geschichte werden, und trotzdem wurde es Maigret nicht leid, hier zu sitzen; er rauchte seine Pfeife in kleinen Zügen, wärmte den Schnaps zwischen den Händen und wandte jedesmal den Blick ab, wenn er auf die Beine der dicken Dame gefallen war, die mit Vorliebe etwas breitbeinig dasaß und dabei ein ansehnliches Stück rosiger Haut oberhalb ihrer schwarzen Strümpfe zur Schau stellte.

Es gelang ihm, zu Wort zu kommen.

»Ich wollte eigentlich Francis eine Frage stellen…«

»Wie kamen Sie darauf, daß ich hier bin?«

Maigret wollte irgendeine Antwort geben, aber Popine ließ ihm keine Zeit dazu.

»Glaubst du denn, meine Junge, daß nicht die ganze Stadt Bescheid weiß?… Ich, Monsieur Maigret, würde ihn übrigens gern heiraten… Er wäre nicht mein erster… Leider hat er aber schon eine Frau, und sie ist es, die von einer Scheidung nichts hören will…«

»Sagen Sie, Francis… Heute nachmittag, als ich bei Dr. Bellamy war, kam ein junges Mädchen aus einem Zimmer im ersten Stock. Ich nehme an, daß Sie sie hereingelassen haben?«

»Ich gehe immer zur Tür, wenn jemand klingelt«, erwiderte er.

»Sie haben sie also gesehen. Wissen Sie, wer sie ist?«

»Genau das habe ich mich auch gefragt.«

»Sie kennen sie nicht?«

»Nein. Sie kam zweimal. Das erste Mal am 2. August, als die gnädige Frau so krank war…«

»Einen Augenblick, Francis, bitte…«

»Ja, nimm dir Zeit… Laß den Kommissar reden…«

»Der Unfall, bei dem Fräulein Godreau ums Leben kam, geschah am 3. August… Das ist richtig, nicht?«

»Ja… am Tag des Konzerts…«

»Und Sie sagen also, am 2. August sei Madame Bellamy schwer krank gewesen?«

»Das ist richtig... Auch schon am 1. August... Am 1. August ist sie nicht aufgestanden...«

»Ist sie oft krank?«

»Ich hatte noch nie erlebt, daß sie den ganzen Tag im Bett blieb...«

»Ließ man einen Arzt kommen?«

»Dr. Bellamy hat sie behandelt... Er ist ja Arzt...«

»Natürlich...«

Allerdings würden die meisten Ärzte ihre Angehörigen lieber von einem Kollegen behandeln lassen, zumal wenn sie selbst Spezialisten sind.

»Sie wissen nicht, was ihr fehlte?«

»Nein...«

»Sind Sie in ihrem Zimmer gewesen?«

»Nie und nimmer!... Es ist verboten, selbst wenn sie weg ist... Dr. Bellamy duldet es nicht, daß ein Mann einen Fuß ins Zimmer seiner Frau setzt... Ein einziges Mal, als niemand im Haus war und Jeanne, das Zimmermädchen, sich gerade in der Wohnung aufhielt, ging ich hinein... Und auch das nur ganz kurz, weil ich Jeanne etwas sagen mußte.«

»Du willst sagen, du hättest dich damit begnügt, mit ihr zu sprechen?«

»Der Doktor kam, ohne daß ich ein Geräusch gehört hätte... Nie hat er sich mir gegenüber so schroff gezeigt wie damals... Einen Augenblick lang dachte ich, er würde mich ohrfeigen...«

»Zwei Tage vor dem Tod ihrer Schwester also«, wiederholte Maigret, »am 1. August, wurde Odette Bellamy krank und hütete das Bett... Und damals auch, sagten Sie, kam das Mädchen sie zum ersten Mal besuchen...«

»Nicht am 1. August… Am 2….«

»Sie öffneten ihr die Tür… Wie spät war es?«

»Etwa halb fünf…«

»Mit andern Worten, um die Zeit, zu der Dr. Bellamy in der ›Brasserie du Remblai‹ seine Partie Bridge spielt… Man kann ihn von draußen sehen, um sicherzugehen, daß er nicht zu Hause ist…«

»Wahrscheinlich, ja…«

»Was sagte Ihnen das junge Mädchen?«

»Sie wollte Madame Bellamy sprechen… Ich glaubte zuerst, sie meine die Mutter Dr. Bellamys…«

»Wo befand sie sich zu der Zeit?«

»In der Wäschekammer… Es war der Tag, an dem die Schneiderin kommt…«

»Das muß ich Ihnen erklären«, schaltete sich Popine ein. »Es fehlt nicht viel, und sie würde sich ihre Kleider vor lauter Sparsamkeit selber nähen. Sie ist ein Geizhals ohnegleichen. Sie hat eine alte, bucklige Näherin, die ihr irgendwelche Sachen zusammenschneidert, aber es ist ihr egal, wie sie daherkommt, wenn es nur recht billig ist… Ich könnte Ihnen Sachen erzählen… Einmal zum Beispiel hat sie mich angerufen, um nicht ganz frischen Fisch zu bestellen, für das Personal…«

»Entschuldigung… Darf ich kurz unterbrechen?«

»Aber bitte… Sprechen Sie nur…«

»Haben Sie die Kleine hinaufbegleitet?«

»Nein. Ich antwortete ihr, daß die gnädige Frau keinen Besuch empfängt. Worauf sie mich bat, ihr auszurichten, die kleine Lucile sei da und habe ihr etwas sehr Wichtiges zu sagen.«

»Sie sind also ins Zimmer gegangen, um den Auftrag auszurichten?«

»Nein, ich bitte Sie!... Ich rief Jeanne, ich war überzeugt, die gnädige Frau würde die Kleine nicht empfangen... Aber dann hieß man sie doch heraufkommen...«

»Blieb sie lange?«

»Ich weiß nicht... Ich ging wieder in den Dienstraum, wo ich Silber zu putzen hatte...«

»Sie müssen wissen, Monsieur Maigret, daß er es ist, der mein Kupfer auf Hochglanz bringt... Ich habe zwar eine Haushaltshilfe, die den ganzen Tag da ist, aber er besteht darauf, denn er behauptet, die Frauen verstünden nichts vom Putzen...«

»Als sie heute wiederkam, ließen Sie sie da sofort hinauf?«

»Ich brauchte sie nicht einmal anzumelden... Jeanne stand auf dem Treppenabsatz und rief mir zu: ›Lassen Sie sie herauf, Francis...‹«

»Mit andern Worten, Madame Bellamy erwartete Lucile diesmal?«

»Es sah so aus.«

»Horchen Sie nie an den Türen?«

»Nein, niemals.«

»Warum nicht?«

»Wegen der alten Dame... Man hält sie für plump oder für gebrechlich... Sie stützt sich auf ihren Stock, als könnte sie sich kaum mehr auf den Beinen halten, und dann steht sie plötzlich hinter einem, ehe man sich's versieht... Die ganze Zeit schleicht sie im Haus umher...«

»Eine Giftkröte!... Und was dem noch die Krone aufsetzt, Monsieur Maigret: Die Frau kommt nicht einmal aus gutem Hause... Wenn sie mit ihrer Köchin einkaufen geht, hackt sie auf uns herum, als wären wir das Letzte... Sie vergißt, daß ihr Vater ein Säufer war, den man in der Gosse auflas, und daß ihre Mutter sich als Aufwartefrau durchbrachte... Freilich war sie ein schönes Mädchen... Man würde es allerdings nicht glauben, wenn man sie heute sieht...«

»Sagen Sie, Madame Popineau...«

»Nennen Sie mich ruhig Popine, wie alle andern...«

»Sagen Sie, Popine, wo Sie doch in Les Sables alle und jeden kennen, haben Sie eine Ahnung, wer diese Lucile sein könnte?«

»Vor zehn Jahren wäre mir dazu wahrscheinlich was eingefallen... Damals ging ich noch mit meinem Karren von Tür zu Tür und verkaufte so meinen Fisch... Ich kannte deshalb, wie Sie sich denken können, die ganzen Rangen...«

»Sie ist groß und mager, mit fast farblosen, strohigen Haaren...«

»Hat sie Zöpfe?«

»Nein...«

»Schade, denn ich kenne eine, die Zöpfe hat... Es ist die Tochter des Böttchers...«

»Etwa vierzehn, vielleicht fünfzehn?«

»Wahrscheinlich älter... sie ist schon ganz gut gebaut... hat einen hübschen kleinen Busen, dem sie etwas nachhilft...«

»Denken Sie gut nach...«

»Jetzt fällt mir gerade niemand ein... Aber geben Sie mir

doch bis morgen mittag Zeit... Bei all den Leuten, die in meinen Laden kommen, habe ich das schnell raus... Schließlich ist die Stadt nicht so groß...«

Maigret sollte sich etwas später noch an diese Worte erinnern. *Die Stadt ist nicht so groß!*

»Haben Sie den Eindruck, Francis, daß Ihre Herrschaften gut miteinander auskommen?«

Der Belgier wußte nicht, was er darauf sagen sollte.

»Gibt es oft Streit?«

»Nie.«

Allein der Gedanke, daß man sich mit dem Doktor streiten könnte, schien ihn zu verblüffen.

»Kommt es vor, daß er seine Frau anherrscht?«

»Nein...«

Maigret sah ein, daß so nichts aus ihm herauszuholen war. Er mußte deutlicher werden.

»Wenn sie zusammen sind, zum Beispiel bei Tisch, machen sie da einen fröhlichen Eindruck? Ich nehme an, daß Sie bei Tisch servieren.«

»Ja, das ist richtig.«

»Wird viel gesprochen dabei?«

»Dr. Bellamy redet... Auch seine Mutter...«

»Haben Sie das Gefühl, Madame Bellamy sei glücklich?«

»Manchmal schon... Es ist schwierig zu sagen... Wenn Sie den Mann besser kennen würden...«

»Versuchen Sie, das näher zu erklären...«

»Das kann ich nicht... Er ist nicht jemand, mit dem man spricht wie mit andern... Wenn er einen ansieht, fühlt man sich ganz klein...«

»Auch seine Frau fühlt sich ganz klein vor ihm?«

»Manchmal vielleicht... Es kommt vor, daß sie redet, so wie alle reden... daß sie etwas erzählt und dabei lacht... Und dann schaut sie ihn an und hört abrupt auf...«

»Ich glaube, eher wenn sie ihre Schwiegermutter anschaut«, schaltete sich Popine ein. »Sie können sich vorstellen, Monsieur Maigret, daß eine junge Frau wie Odette – auch sie kenne ich von klein auf, und sie war damals nicht so hochfahrend –, will sagen, daß eine junge Frau wie sie nicht dazu geschaffen ist, mit einer Hexe zusammenzuleben... Und die alte Bellamy ist rundum eine Hexe... Die sollte nicht einen Stock haben, sondern einen Besen, um ihn sich zwischen die Beine zu klemmen...«

Einen Augenblick dachte Maigret an das Verhör, das der sanfte Mansuy in seiner Gegenwart mit Polyte geführt hatte. Dieser, störrisch und unzugänglich, hatte den Mund nur aufgemacht, wenn es nicht mehr anders ging, und auch dann nur, um zu bestreiten, was ohnehin klar war.

Bei diesen beiden hingegen sprudelten die Worte nur so hervor und trotzdem war es schwierig, an die Wahrheit heranzukommen.

Er spürte, sie war nicht weit. Er witterte sie und versuchte in Gedanken, jedem seinen Platz zuzuweisen, am Familientisch zum Beispiel, aber es blieb immer ein kleiner Haken, etwas, das *schief war.*

Es war nicht leicht, die Leute mit den Augen eines Dieners zu sehen, des Liebhabers Madame Popineaus.

»Womit verbrachte Madame Bellamy ihre Tage, bevor sie krank wurde?«

Armer Francis! Popine ermunterte ihn zu reden,

flüsterte ihm die Antworten vor fast wie in der Schule. Er wäre dem Kommissar gern gefällig gewesen und versuchte sich so klar wie möglich auszudrücken.

»Ich weiß nicht... Erstens blieb sie sehr lange in ihrem Zimmer, das Frühstück bekam sie immer hinaufgebracht...«

»Um welche Zeit?«

»Gegen zehn Uhr.«

»Moment mal... Haben der Doktor und seine Frau getrennte Schlafzimmer?«

»Das heißt, es gibt zwei Schlafzimmer und zwei Badezimmer, aber ich habe nie gesehen, daß er bei sich geschlafen hätte...«

»Auch in den letzten zwei Tagen nicht?«

»Verzeihung!... Seit dem 3. August schläft er allein... Tagsüber ging die gnädige Frau oft ins Musikzimmer des Fräuleins... Sie setzte sich in eine Ecke, las und hörte dazu Musik...«

»Las sie viel?«

»Fast immer, wenn ich sie sah, hatte sie ein Buch in der Hand.«

»Ging sie aus?«

»Selten ohne ihren Mann... Oder dann mit ihrer Schwiegermutter...«

»Allein ging sie nie aus?«

»Gelegentlich schon...«

»In letzter Zeit öfter als früher?«

»Ich weiß nicht... Das Haus ist groß, verstehen Sie... Im Dienstraum gibt es ein kleines Anschlagbrett... Die Mutter Dr. Bellamys hat es angebracht... Wir sind drei Hausangestellte, die Köchin, Jeanne und ich... Auf dem Anschlagbrett steht unser Aufgabenplan für den ganzen Tag... Wann wir jeweils in welchem Raum zu sein haben, um diese oder jene Arbeit zu verrichten, und wehe, wenn man uns anderswo antrifft...«

»Die beiden Schwestern verstanden sich gut?«

»Ich glaube, ja...«

»War Lili bei Tisch gesprächiger als Odette?«

»Das kam etwa aufs selbe raus...«

»Ich frage Sie nochmals dasselbe wie vorhin und bitte Sie, es sich gut zu überlegen: Sind Sie sicher, daß Dr. Bellamys Frau am 1. August, zwei Tage vor dem Tod ihrer Schwester, krank wurde?«

»Ganz sicher.«

»Wo empfängt der Doktor seine Patienten?«

»Er empfängt sie nicht im Hause, sondern in einem Nebengebäude hinten im Garten. Es hat einen eigenen Eingang von einer Nebenstraße...«

»Wer öffnet den Patienten die Tür?«

»Niemand. Sie ziehen am Griff und die Tür geht automatisch auf. Sie kommen in einen Vorraum, der als Wartezimmer dient. Es kommen nicht viele, und fast immer nach Vereinbarung... Der Doktor ist nicht darauf angewiesen, verstehen Sie?...«

»Trinken Sie aus, Monsieur Maigret, damit ich Ihnen nochmals einschenken kann...«

Er leerte sein Glas und stieß erneut mit Popine und Francis an. Beide waren sie von der ernsten Haltung des Kommissars beeindruckt, von seiner Anstrengung, die sie dunkel errieten.

»Es ist so schwierig«, sagte die Fischhändlerin, wie zum Trost für ihn, »zu erfahren, was in diesen großen Häusern vor sich geht... Unsereiner sagt wenigstens, was er denkt... Aber die sind da anders...«

»Sehen Sie«, unterbrach sie Francis. »Wenn ich nur an heute abend denke... Normalerweise warte ich, bis der Herr nach seinem Whisky klingelt... Denn jeden Abend gegen zehn Uhr, er ist dann in der Bibliothek, trinkt er einen letzten Whisky... Ich habe zwar ein Zimmer im Haus, aber er weiß, daß ich nicht dort schlafe... Ich stelle das Tablett auf den Schreibtisch, gebe Eis ins Glas, und dann sagt er, immer auf dieselbe Art: ›Gute Nacht, Francis... Sie können gehen...‹

Heute abend nun...«

Er spürte, wie gespannt Maigret war, und wurde verlegen, als befürchtete er, ihn ein weiteres Mal zu enttäuschen.

»Es ist nur eine Kleinigkeit... Es fällt mir jetzt ein, weil Popine eben gesagt hat, man wisse nie, was in diesen großen Häusern vor sich geht... Normalerweise stelle ich schon vorher alles aufs Tablett und starre dann manchmal eine Viertelstunde lang auf die Uhr... Um diese Zeit bin ich allein... Jeanne ist auf ihrem Zimmer, liegt auf dem Bett, raucht Zigaretten und liest Romane... Die Köchin ist verheiratet und schläft bei sich in der Stadt... Als der Herr um Viertel nach zehn noch immer nicht nach mir geklingelt hatte, ging ich leise hinauf, das Tablett in den Händen... Unter der Tür sah ich Licht... Ich wartete eine Weile, dann schaute ich durchs Schlüsselloch... Er saß nicht in seinem Sessel... Ich klopfte an, aber da war niemand... Dann ging ich durchs ganze Haus, außer ins Zimmer der gnädigen

Frau natürlich, fand ihn aber nirgends... Auch nicht unten... Auch nicht in der Praxis im Nebengebäude... Ich ging zu Jeanne hinauf, und sie sagte mir, er sei auch nicht bei seiner Frau, und diese habe die Tür von innen abgeschlossen...«

»Einen Augenblick... Ist das eine Gewohnheit von ihr, sich einzuschließen?«

»Nicht, wenn er fort ist... Ich habe dem weiter keine Beachtung geschenkt, stellte um halb elf das Tablett hin und ging... Es ist das erste Mal, daß er weggeht, ohne mir etwas zu sagen, und dann läßt er erst noch das Licht brennen...«

»Sind Sie sicher, daß er weggegangen ist?«

»Sein Hut hing nicht am Kleiderständer...«

»Hat er den Wagen genommen?«

»Nein, der stand in der Garage...«

Mit dem gleichen, erst erstaunten, dann erschrockenen Blick sahen Popine und Francis, wie Maigret sich einen Ruck gab und wie seine Züge sich verfinsterten.

»Haben Sie Telefon?« wollte er wissen.

Er mußte in den Laden hinüber, stützte sich mit dem Ellbogen, neben der Waage aus Email, auf die spiegelglatte Marmorplatte des Verkaufstisches.

»Hallo!... Ist dort die ›Brasserie du Remblai‹?... Eine Frage... Haben Sie heute abend Dr. Bellamy gesehen?«

Er mußte sich nicht zu erkennen geben.

»Nein, nicht heute nachmittag... Nach dem Abendessen, ja... Sie haben ihn nicht gesehen?... Einen Augenblick, bitte... Der Polizeikommissar ist auch nicht bei Ihnen?... Abends kommt er nie... Bitte unterbrechen Sie nicht, Mademoiselle... Spreche ich mit dem Kellner?...

Mit dem Wirt?… Ist vielleicht einer der Bridgespieler da?… Aha, Monsieur Rouillet, Monsieur Lourceau… Gut… Geben Sie mir bitte Monsieur Lourceau…«

Eine träge Stimme am andern Ende der Leitung, die Stimme eines Mannes, der seit fünf oder sechs Stunden Bridge spielt und mindestens bei seinem sechsten Glas Weißwein ist.

»Guten Abend, Monsieur Lourceau… Entschuldigen Sie die Störung… Kommissar Maigret am Apparat… Einerlei… Ich möchte nur eine kleine Auskunft… Wissen Sie, wo um diese Zeit Bellamy am ehesten anzutreffen ist?… Nein, er ist nicht zu Hause… Bitte?… Er geht abends nie aus?… Sie können sich nicht vorstellen…? Haben Sie vielen Dank…«

Er schien immer bleierner zu werden, und in seinem Blick war etwas Banges. Er blätterte im Telefonbuch, rief den Gerichtsmediziner an.

»Hallo!… Hier spricht Kommissar Maigret… Nein, es geht nicht um eine Ermittlung… Ich hätte nur gern gewußt, ob Dr. Bellamy zufällig bei Ihnen ist… Ich habe gedacht, daß er in Anbetracht der Ereignisse, und da Sie mit ihm befreundet sind… Nicht doch!… Nur eine Auskunft, um die ich ihn bitten wollte… Sie haben ihn nicht gesehen?… Haben Sie keine Ahnung, wo er jetzt anzutreffen sein könnte?… Wie?… In der Klinik?… Daran hatte ich nicht gedacht…«

So einfach war das! Vielleicht war der Doktor ganz einfach auf einen Krankenbesuch in die Klinik oder ins Krankenhaus gegangen.

»Hallo?… Schwester Aurélie?… Ach, Verzeihung… Ich

glaubte, Ihre Stimme erkannt zu haben... Können Sie mir sagen, ob Dr. Bellamy...«

Weder in der Klinik noch im Krankenhaus.

»Ein Detail, Francis... Geht das Schlafzimmer des Doktors zur Uferpromenade hinaus?«

»Nur halb... Es liegt auf der Ostseite, aber man sieht es von der Straße aus...«

»Danke...«

»Wollen Sie gehen?«

Er ließ die beiden ganz verwirrt in ihrem kleinen Eßzimmer zurück, ihn mit seinen Pantoffeln und dem halboffenen Hemd und sie ganz begeistert, weil sie einen Abend mit ihrem Helden hatte verbringen dürfen.

»Wenn Sie morgen mittag in der Gegend sind, Monsieur Maigret, kann ich Ihnen sicher Auskunft über die Kleine geben...«

Er hörte es kaum noch... Die Straßen waren jetzt menschenleer. Es war nach Mitternacht. Er sah einen Polizisten unter einer Gaslaterne und wäre beinahe stehengeblieben, um ihn zu fragen, ob er Dr. Bellamy gesehen habe.

Im großen Haus am Ende des Remblai brannte nur in einem Fenster Licht, dem der Bibliothek. Francis hatte es, wie er dem Kommissar gegenüber erwähnte, brennen lassen, als er ging. Wäre der Doktor inzwischen nach Hause gekommen, so hätte man nun wahrscheinlich Licht in seinem Zimmer gesehen. Jedenfalls hätte er es, nachdem er vielleicht noch den Whisky getrunken hätte, in seinem Büro gelöscht.

Die gute Popine hatte von einer kleinen Stadt gesprochen. Und nun fand Maigret, sie sei zu groß. So groß jedenfalls, daß es unmöglich war, einen Mann und ein kleines Mädchen darin ausfindig zu machen.

Hätte er nur ihren Vornamen schon eher gekannt!

Er ging schnell, schritt weit aus. Anstatt zum Hotel zurückzukehren, machte er einen Umweg, sah das rote Licht des Kommissariats; nur ein Wachtmeister und einige wachhabende Polizisten waren noch da.

»Kennt zufällig jemand von Ihnen ein junges Mädchen, das Lucile heißt?«

Sie unterbrachen ihr Kartenspiel, sahen sich an, kramten in ihrem Gedächtnis.

»Meine Frau heißt Lucile«, scherzte einer. »Aber da Sie von einem jungen Mädchen sprechen, kann sie wohl nicht gemeint sein.«

»Wissen Sie nicht, wie sie mit vollem Namen heißt?« fragte naiv der Wachtmeister.

Ein etwa dreißigjähriger Polizist war es, der Maigret eine Lektion erteilte, indem er ruhig sagte:

»Man müßte sich bei den Lehrerinnen erkundigen.«

Natürlich! Der Kommissar, der kinderlos war, hatte daran nicht gedacht. Und dabei war es so einfach!

»Wie viele Schulen gibt es in Les Sables?«

»Warten Sie... Die von Schloß Oléron mitgerechnet, komme ich auf drei, ich meine Mädchenschulen... Dazu noch die Schwesternschulen...«

»Schlafen die Lehrerinnen dort?«

»Sicher nicht... Außerdem sind jetzt Schulferien...«

Maigret war Tausenden von Fällen nachgegangen und hatte seine Nase in die unterschiedlichsten Milieus gesteckt. Aber von der Schule hatte er – ganz wie bis vor einigen Tagen von der Welt der Klinik mit ihren Nonnen – keine Ahnung.

»Glauben Sie, daß die Lehrerinnen Telefon haben?«

»Eher nicht... Sie verdienen ungefähr so viel wie wir, die Ärmsten!...«

Plötzlich war er es müde. Seit fünf Uhr nachmittags hatte sein Hirn in so rasender Folge gearbeitet, daß er sich plötzlich wie leer fühlte, überflüssig; er stand vor einer dumpfen Mauer.

Irgendwo in der Stadt schliefen die acht oder zehn Lehrerinnen, in diesen kleinen, zusammengedrängten Häusern, mit ihren zur Straße oder auf einen Garten hinaus offenen Fenstern. Mindestens eine von ihnen kannte die kleine Lucile, sah sie täglich, korrigierte ihre Aufgaben.

Einen Augenblick lang, als er das Kommissariat verließ und eben wieder ins Dunkel der Nacht tauchte, zögerte er und wäre beinahe umgekehrt, um sich eine Liste aller Lehrerinnen der Gegend geben zu lassen und dann von Tür zu Tür zu gehen.

Ließ er es am Ende deshalb sein, weil er sich lächerlich vorgekommen wäre?

Die Stadt ist nicht sehr groß... hatte Popine gesagt.

Leider zu groß! Vor dem Einschlafen sprachen sie sicher noch über ihn, die Fischhändlerin und Francis. Und vielleicht auch jenes andere Paar: die Flämin und der Metzger Fernand. Und außerdem Lourceau und der Gerichtsmediziner und die Schwester, die in der Klinik Nachtdienst hatte, alle, die er im Laufe des Abends gestört hatte.

Vermutlich ließ er hinter sich etliche Unruhe oder doch zumindest eine Spur Neugierde zurück.

Was berechtigte ihn überhaupt dazu, nur weil er auf einen noch verschwommenen Gedanken gekommen war, in all diesen jungfräulichen Straßen Verwirrung zu stiften, die Menschen aufzustören in ihrer kleinen, um den Hafen kauernden Stadt?

Er klingelte an der Tür seines Hotels. Monsieur Léonard, der auf einem Stuhl auf ihn wartend eingenickt war, ließ ihn herein, einen stummen Vorwurf in seinem Blick. Nicht weil er nicht hatte zu Bett gehen können, sondern weil er fand, der Kommissar habe sich nicht nett benommen.

»Sie sehen müde aus«, sagte er. »Ein Gläschen, bevor Sie hinaufgehen?«

»Sie kennen nicht zufällig ein kleines Mädchen namens Lucile, das ...«

Es war lächerlich. Er ärgerte sich über sich selbst. Monsieur Léonard schenkte zwei kleine Gläser Calvados ein. Mein Gott! Wie viele Gläschen Calvados und Weißwein mochte Maigret eigentlich in sich hineingegossen haben, und dies seit Tagen? Und doch war er nicht betrunken.

»Auf Ihr Wohl!«

Er stolperte die Treppe hinauf und ließ im Zimmer seine Kleider auf den Boden fallen. Morgen, besser gesagt heute, denn es war nach Mitternacht, würde die Beerdigung stattfinden. Noch vorher wollte er Kommissar Mansuy anrufen, der ab acht Uhr in seinem Büro war.

Der erste Teil der Nacht verging in einem sonderbaren Alptraum. Türglocken, überall zog er Türglocken, und dann schnellten Köpfe hervor, und die schaukelten hin und her und hin, um nein zu sagen. Niemand sprach, auch er nicht. Trotzdem verstand jeder, daß er den Doktor und Lucile suchte.

Dann eine große, schwarze Leere, ein Nichts, und endlich klopfte es an der Tür, die Stimme Germaines, des Zimmermädchens:

»Sie werden am Telefon verlangt...«

Er hatte sich ohne seinen Pyjama schlafen gelegt; nun suchte er ihn überall. Sein Kopfkissen war feucht von säuerlichem Schweiß, der nach Alkohol roch. Von den vertrauten Geräuschen in den Nebenzimmern war nichts zu hören. Entweder war es zu früh oder schon zu spät.

Er schlüpfte in seinen Morgenrock und öffnete die Tür.

»Wie spät ist es?«

»Halb acht...«

Die Zeit schien aus den Fugen zu sein. Das Licht war nicht dasselbe wie sonst, wenn er erwachte. Und wie kam Kommissar Mansuy dazu, ihn schon um halb acht anzurufen?

»Hallo?... Sind Sie es, Herr Kommissar?«

Auch die Stimme Mansuys hatte etwas Ungewohntes.

»Wir wissen, wie sie heißt...«

Eine Pause. Warum wagte Maigret keine Frage zu stellen?

»Ihr Name ist Lucile Duffieux...«

Wieder eine Pause. Aber wirklich, irgend etwas stimmte nicht mit der Zeit, mit dem Raum.

»Und was noch?« schrie er, außer sich vor Erregung.

»Sie ist tot...«

Er hielt den Hörer noch ans Ohr gepreßt, da stiegen ihm Zornestränen in die Augen.

»Sie ist heute nacht in ihrem Bett erwürgt worden, neben dem Zimmer ihrer Mutter…«

Monsieur Léonard, der eben mit einer Flasche Weißwein aus dem Keller kam, blieb verdutzt stehen. Warum nur sah ihn Maigret so wütend an, mit einem Blick, der ihn nicht wiederzuerkennen schien?

5

Es war ein grauer Tag, und wahrscheinlich waren in der Frühe einige Tropfen Regen gefallen, aber Maigret wurde dessen erst am späten Vormittag gewahr. Bis dahin hatte ihn das Grau-in-Grau der Leute und der Dinge, zusammen mit seiner eigenen grauen Stimmung, davon abgehalten, in den Himmel zu schauen und zu bemerken, daß zum ersten Mal seit seiner Ankunft in Les Sables das Meer grünlich-blau war, mit einigen gekräuselten, fast schwarzen Flecken.

Auf dem Kommissariat waren offensichtlich die Männer, die Nachtwache geschoben hatten, nicht abgelöst worden, und alles machte einen wirren, übernächtigten und beunruhigten Eindruck. Unten an der Treppe stieß er wie zufällig mit jenem Polizisten zusammen, der in der vergangenen Nacht die Idee mit den Lehrerinnen geäußert hatte. Wie alt waren wohl seine eigenen Töchter? Als er Maigret wiedererkannte, zuckte er zusammen. Sein Rock war aufgeknöpft, seine Haare ein einziges Gestrüpp. Er hatte auf einer Bank geschlafen. Und nun stand vor ihm wieder der Mann, der einige Stunden zuvor unbedingt herauszufinden versucht hatte, wo jenes Mädchen wohnte.

Es ergab keinen Sinn. Heute morgen schien alles aus

seinem gewohnten Zusammenhang gerissen. Vielleicht dachte sich der Polizist, Maigret sei der Mörder?

Der Kommissar stieg langsam die Treppe hinauf. Seine Pfeife schmeckte schlecht. Er hatte sich in wenigen Minuten rasiert und angezogen. Vor der Tür hatte der Polizeiwagen gestanden, den Mansuy vorbeigeschickt hatte, um Zeit zu gewinnen. Warum hatte er den Fahrer gebeten, einen Umweg über den Remblai zu machen?

Er wollte natürlich das Haus des Doktors sehen. Wie eh und je stand es an seinem Platz. Im ersten Stock schien alles still, die Läden waren geschlossen, aber unten waren einige Arbeiter damit beschäftigt, die Tür mit Trauerflor zu verkleiden. Sie fuhren auch an der Kirche vorbei, die ohnehin am Weg lag, aber da kamen nur ein paar Alte in gestärkten Hauben aus einer stillen Messe.

Im Inspektorenbüro herrschte fiebrige Betriebsamkeit. An mehreren Apparaten wurde telefoniert. In aller Augen las man dieselbe Bestürzung. Aus den Gesichtern der Männer sprach nicht nur der Groll, weil sie so früh aus dem Schlaf geholt worden waren, sondern auch Abscheu und stummer Zorn.

Die meisten waren unrasiert. Vermutlich waren sie noch nicht lange da. Auf dem Weg waren sie vielleicht an einer Bar vorbeigekommen, hatten dort einen Kaffee hinuntergestürzt...

Die hintere Tür ging auf. Mansuy hatte auf die Schritte des Kommissars gelauert und erwartete ihn auf der Schwelle seines Büros; er wirkte so verändert, daß Maigret beinahe verlegen wurde.

Wer weiß? Vielleicht ging es dem andern ebenso. Auch

der Polizeikommissar war unrasiert. Er war als erster benachrichtigt worden und als erster am Tatort gewesen. Es war seltsam, sein Gesicht von einem kräftigen, wie Unkraut sprießenden Bart überzogen zu sehen, rötlich wie seine Haare, aber dunkler.

Seine hellblauen Augen drückten nun nicht mehr nur Scheu aus, sondern wirkliche Unruhe. Maigret ging auf ihn zu und trat ein. Die Tür schloß sich hinter ihm. Die Augen des kleinen Kommissars waren stumm fragend auf ihn gerichtet.

Maigret war zu sehr mit seinen eigenen Gedanken beschäftigt, als daß er sich um die Reaktion der anderen hätte kümmern mögen. Und wie hätte Mansuy auch anders gekonnt, als ein leises Grauen vor diesem behäbigen Mann zu empfinden, der sich am Vorabend, bevor überhaupt je die Rede von dem Mädchen gewesen war, hartnäckig mit ihr befaßt und eine minutiöse Beschreibung von ihr gegeben hatte, wenige Stunden, bevor sie in ihrem Bett erdrosselt wurde?

»Sie möchten wohl bald dorthin gehen, nehme ich an«, sagte er mit belegter Stimme.

Er bekam in Les Sables nicht oft so etwas zu sehen, und der Gedanke daran bestürzte ihn. Man hörte es an der Art, wie er das Wort *dorthin* aussprach.

»Ich konnte mich mit dem Staatsanwalt in La Roche-sur-Yon in Verbindung setzen. Er schickt die Herren von der Staatsanwaltschaft vorbei, gegen elf Uhr werden sie hier sein. Vielleicht auch früher, falls es gelingt, die Herren schneller zusammenzubringen. Er hat es sich auch nicht nehmen lassen, zwei Leute von der Bereitschaftspolizei in

Poitiers anzufordern. Ich habe ihm nicht gesagt, daß Sie hier sind. Das war doch hoffentlich richtig?«

»Das haben Sie gut gemacht.«

»Werden Sie die Ermittlungen übernehmen?«

Maigret zuckte schweigend die Achseln, und er fühlte, daß er damit Mansuy enttäuschte. Aber was sollte er tun?

»Es stehen eine Menge Leute vor dem Haus, obwohl es noch so früh ist. Das Haus befindet sich am Stadtrand, schon fast außerhalb, in einem Viertel mit lauter kleinen Häuschen und Gärten drumherum. Der Vater, Herr Duffieux, ist Nachtwächter auf der Werft. Er hat die Stelle angenommen, nachdem ihm ein Arm amputiert worden war. Sie werden ihn kennenlernen. Für ihn muß es schrecklich gewesen sein. Also ...«

Der kleine Kommissar erzählte, die Ellbogen auf den Tisch und das Kinn auf die Fäuste gestützt.

»Um sechs Uhr, sobald die erste Schicht eintraf, begab er sich auf den Heimweg. Alles spielte sich heute morgen so ab wie gewöhnlich, alles, verstehen Sie mich recht. Er ist ein ruhiger, pünktlicher Mensch. Die Hausfrauen, die früh aufstehen, können ihre Uhr danach stellen, wann er vorübergeht. Um zwanzig nach sechs kommt er nach Hause, ohne das leiseste Geräusch zu machen. Er hat mir das alles ausführlich erklärt, mit einer Stimme wie ein Schlafwandler. Von der Eingangstür gelangt man direkt in die Küche. Links steht ein Sessel, ein Rohrsessel, Sie werden ihn ja sehen. Vor diesem Sessel stehen schon die Pantoffeln für ihn bereit.

Er zieht die Schuhe aus, um niemanden zu wecken. Dann steckt er ein Streichholz in den Ofen. Das Feuer ist schon vorbereitet, mit etwas Zeitungspapier und Kleinholz.

Auch der Kaffee ist bereits gemahlen im Filter der Kaffeekanne, und er braucht nur noch das Wasser aufzugießen, sobald es kocht, und zwei Stück Zucker in seine geblümte Tasse zu geben.

Sie werden sehen ... Neben dem Ofen hängt eine Uhr mit einem Messingpendel ...

Der Zeiger steht auf halb sieben, wenn er mit seiner Tasse in der Hand, immer noch leise, ins Zimmer seiner Frau geht.

Seit Jahren spielt sich das Morgen für Morgen gleich ab ...«

Maigret machte das Fenster auf, obwohl der Morgen kühl war.

»Erzählen Sie weiter ...«

»Madame Duffieux ist eine magere, bleiche, kränkliche Frau. Sie hat sich von ihrem letzten Wochenbett nie richtig erholt, und trotzdem ist sie von früh bis spät auf den Beinen ... Eine jener nervösen, angespannten Frauen, die sich immer aufregen und die ihr Leben damit verbringen, auf die große Katastrophe zu warten ... Während ihr Mann seine schweren Kleider ablegte, die er für die Nacht braucht, zog sie sich an. Sie sagte: ›Es regnet ... – Es hat vorhin geregnet ...‹«

Jetzt erst schaute Maigret zum Himmel, der immer noch grau war.

»Eine halbe Stunde blieben sie zusammen. Das ist die Zeit am Tag, die sie für sich allein haben. Dann, pünktlich um sieben Uhr, ging Duffieux hinaus, um seine Tochter zu wecken.

Diese kleinen Häuser haben keine Fensterläden. Wie immer in dieser Jahreszeit stand das Fenster weit offen; es geht auf den kleinen Garten hinaus.

Lucile lag tot in ihrem Bett, mit blau angelaufenem Gesicht, am Hals breite schwarze Striemen...

Wollen wir nun hinfahren?«

Er stand jedoch noch nicht auf. Er wartete. Er hoffte immer noch. Er konnte nicht glauben, daß Maigret nichts dazu zu sagen hatte.

Der aber begnügte sich mit einem seufzenden:

»Gehen wir...«

Und dort in der Vorstadt war es wirklich eine Straße, wie er sie sich nach dem Bericht des Kommissars vorgestellt hatte. Eine Straße, in der Mädchen wie Lucile zu Hause sind, wo im Laden an der Ecke Gemüse, Kolonialwaren, Petroleum und Süßigkeiten verkauft werden, wo Frauen vor den Türen stehen und die Kinder draußen spielen.

Vor den Türen hatten sich Gruppen gebildet. Es gab Frauen, die sich nur einen Mantel über das Nachthemd gestreift hatten.

Etwa fünfzig Leute drängten sich vor einem kleinen Haus, das sich durch nichts von den andern unterschied, nur daß ein uniformierter Polizist in der Nähe Wache stand. Der Wagen hielt, und die beiden Männer stiegen aus.

Dann, auf dem Gehsteig, hielt Maigret einen Moment inne, ohne etwas zu sagen, ohne Grund, als würde er mitten auf der Straße auf einmal Herzbeschwerden bekommen.

»Wollen wir hineingehen?«

Er nickte zustimmend. Die Schaulustigen wichen

zurück, um sie vorbeizulassen. Mansuy klopfte leise an die Tür ... Der Mann öffnete. Nicht daß er rotgeweinte Augen gehabt hätte, aber er sah völlig niedergeschlagen aus und bewegte sich wie eine Maschine. Er sah Mansuy an, erkannte ihn, kümmerte sich aber nicht weiter um die beiden.

Es war, als gehörte ihm an diesem Tag sein Haus nicht mehr. Die Schlafzimmertür stand offen; auf dem Bett lag eine Gestalt, die gleichmäßig vor sich hin wimmerte, es klang wie die Klage eines Tiers. Am Kopfende des Bettes von Madame Duffieux, die diese Töne von sich gab, stand ein Arzt aus der Nachbarschaft, während sich eine alte, ungeheuer dicke Frau – vielleicht eine Verwandte, vielleicht eine Nachbarin – am Herd zu schaffen machte.

Die geblümten Tassen standen noch auf dem Tisch, die eine mit Milchkaffee gefüllt; das war das Frühstück, das Duffieux um sieben Uhr seiner Tochter hatte bringen wollen.

Das Haus hatte nur drei Zimmer. Rechts die Küche, die auch als gemeinsamer Wohnraum diente und ziemlich groß war, mit einem Fenster zum Garten und einem zweiten zur Straße. Links zwei Türen, die eine zum Schlafzimmer der Eltern, auf der Straßenseite, die andere zum Zimmer auf der Gartenseite.

An den Wänden hingen Fotos, auch auf dem Kamin standen welche.

»Hatten sie nur ein Kind?« fragte Maigret leise.

»Soviel ich weiß, haben sie noch einen Sohn, aber ich glaube nicht, daß er in Les Sables ist. Ich muß sagen, daß ich es nicht übers Herz gebracht habe, sie lange zu befragen. Bald kommt die Staatsanwaltschaft, und diese Herren aus Poitiers werden tun, was sie zu tun haben…«

Im Grunde gestand Mansuy damit, daß er nicht für diesen Beruf geboren war. Verstohlen beobachtete er Maigret, der davor zurückzuscheuen schien, das zweite Zimmer zu betreten, dessen Tür geschlossen war.

»Ist auch nichts angerührt worden?« fragte er noch routinemäßig.

Mansuy schüttelte den Kopf.

»Gehen wir hinein…«

Er öffnete die Tür und wunderte sich, daß es hier so stark nach Tabak roch. Gleich darauf sah er jedoch einen Mann, der am Fenster stand und sich zu ihnen umwandte.

»Vorsichtshalber habe ich einen meiner Inspektoren hiergelassen«, sagte der Polizeikommissar.

»Sie haben mir versprochen, daß ich abgelöst werde«, beschwerte sich dieser.

»Sofort, Larrouy…«

Im Zimmer standen zwei Betten, zwischen denen gerade noch Platz für einen Nachttisch war. Es waren zwei Eisenbetten, deren Stäbe sich schwarz vor den bläulichen Tapeten abzeichneten. Eines der Betten, jenes an der Wand links, war unbenutzt. Auf dem andern lag unter einer Decke verborgen eine gekrümmte Gestalt.

Ein großer Schrank an der Wand gegenüber, ein mit einem Tuch bedeckter Tisch, darauf eine weiße Emailschüssel, ein Kamm, eine Bürste, ein Stück Seife auf einer Untertasse, und unter dem Tisch ein Wasserkrug und eine blaue Emailschüssel. Das war alles. Das war Luciles Zimmer, das sie mit ihrem Bruder geteilt hatte.

»Wissen Sie, wer die alte Frau in der Küche ist?«

»Sie war heute morgen nicht da. Vielleicht habe ich sie auch nur nicht gesehen, denn überall standen Gaffer herum, die wir mit Mühe und Not hinausbeförderten.«

»Die Mutter hat nichts gehört?«

»Nein.«

»War der Gerichtsmediziner schon da?«

»Vermutlich, denn ich habe ihn gleich angerufen, bevor ich selbst herkam. Sobald ich im Büro bin, ruf ich ihn wieder an.«

Maigret machte endlich die erwartete Bewegung; er ging langsam zum Kopfende des Bettes und beugte sich vor, um die Decke zurückzuziehen. Er schaute nicht länger hin als einige Sekunden, und dann ging er sofort zum Fenster, wo Inspektor Larrouy stand.

Mansuy blieb in seiner Nähe. Die drei Männer betrachteten den Garten, der von einem Stacheldrahtzaun umgeben war. Die eine Ecke wurde von einem Kaninchenstall, die andere von einem Schuppen eingenommen, in dem Duffieux vermutlich seine Gartengeräte untergebracht hatte und seine freien Stunden mit Bastelarbeiten ausfüllte. Spärliches Gemüse wuchs auf dem sandigen Boden, blaßgrüner Lauch, Kopfsalat, Kohl. Fünf Tomatenstauden, an Stützen gebunden, trugen ihre roten Früchte.

Sie brauchten nicht darüber zu reden. Der Mann war hier durch gekommen. Es war ein leichtes, über den Stacheldrahtzaun zu steigen, und schon gar kein Hindernis war die Fensterbank. Hinter dem Garten lag unbebautes Gelände, jenseits davon einige alte Gebäude, die wohl ehemals zu einer Fabrik gehört hatten.

»Falls er Fußspuren hinterlassen hat«, sagte der Inspektor mit gesenkter Stimme, »so sind sie vom Regen heute morgen verwischt worden. Mein Kollege Charbonnet hat danach gesucht…«

Und sein Blick lauerte auf Zustimmung von seiten Maigrets. Der reagierte überhaupt nicht darauf. Hatte er sich jemals um Abdrücke gekümmert?

Dennoch ging er durch die Küche, in der eben zwei neue Gesichter erschienen waren, in den Garten. Aus flachen Steinen, die auf dem Gelände dahinter zusammengesucht worden waren, hatte man einen schmalen Weg angelegt. Die Kaninchen schnupperten und schauten ihn an; er rupfte ein paar Kohlblätter aus, machte das Gitter auf und wieder zu.

Das Grau-in-Grau paßte nur zu gut zum armseligen Alltag einer Frau wie Madame Duffieux, die ihr Leben lang, abgemagert und krank wie sie war, auf Heller und Pfennig achten mußte.

»Wie spät ist es?« fragte er, ohne daran zu denken, seine Uhr aus der Tasche zu ziehen.

»Fünf vor neun.«

»Die Beerdigung findet doch um halb elf statt, nicht?«

Mansuy sah ihn einen Augenblick entgeistert an, da er das Wort Beerdigung zuerst auf die Leiche der Kleinen bezog, die sie eben angeschaut hatten. Dann erinnerte er sich an die andere Tote und sah Maigret mit neuerlicher Spannung an.

»Gehen Sie hin?«

»Ja.«

»Glauben Sie, es besteht ein Zusammenhang?…«

Hörte ihm Maigret überhaupt zu? Er ließ sich jedenfalls nichts anmerken. Langsam ging er in die Küche zurück. Die Alte erzählte den Neuangekommenen unter großem Geseufze die ganze Geschichte, wobei sie sich unermüdlich mit dem Schürzenzipfel die Augen wischte. Es war ein Bruder Duffieux' mit seiner Frau; sie waren von Nachbarn benachrichtigt worden.

Es war merkwürdig. Hier wurde in lauten, rohen, überdeutlichen Worten gesprochen, und niemand schien zu bedenken, daß nebenan die Mutter lag, bei offener Tür, so daß ihr Wimmern wie ein Singsang den Bericht der Alten begleitete:

»Ich habe Gérard gesagt: ›Es kann nur ein Verrückter gewesen sein…‹

Ich habe die Kleine nämlich besser als sonst jemand gekannt, denn zu mir kam sie schon als ganz kleines Kind, wenn sie spielen wollte, und ich habe ihr auch die Puppe meiner verstorbenen Tochter geschenkt…«

»Darf ich Sie kurz unterbrechen?«

Maigret berührte sie an der Schulter. Plötzlich wurde sie ganz unterwürfig. Für sie waren alle, die sie heute in diesem Hause sah, große Herren und Amtspersonen.

»Ist der Sohn benachrichtigt worden?«

»Emile?«

Sie warf einen kurzen Blick auf eines der Fotos an der Wand, auf dem ein siebzehn- oder achtzehnjähriger, gutgekleideter junger Mann mit feinen Gesichtszügen und lebhaften Augen zu sehen war.

»Wissen Sie nicht, daß er von zu Hause weg ist? Das ist ja gerade das Schreckliche für diese arme Frau, Herr Richter … Letzte Woche geht plötzlich ihr Sohn fort … Und jetzt wird ihre Tochter …«

»Macht er den Wehrdienst?«

Das war doch das Drama, das solchen Leuten widerfuhr …

»Nein, nein, mein lieber Herr … Er ist noch nicht im Alter fürs Militär … Warten Sie … Er ist jetzt neunzehneinhalb … Es ging ihm hier ganz gut, er verdiente ordentlich … Seine Arbeitgeber hielten große Stücke auf ihn … Und dann setzt er sich plötzlich letzte Woche in den Kopf, er müsse nach Paris, um dort zu leben … Nicht das geringste hat er vorher davon verlauten lassen … Niemandem was gesagt! … Er hat nicht einmal einen Zettel hinterlassen … Er hatte nur angekündigt, er müsse die Nacht durch arbeiten … Marthe hat es ihm geglaubt … Aber diese Frau glaubt einem ja alles, was man ihr erzählt …

Am Morgen, als er noch nicht zurück war, kam sie wenigstens auf die Idee, in seinem Schrank nachzusehen, und da sah sie dann, daß seine Sachen weg waren …

Später kam der Postbote mit einem Brief, in dem Emile sie um Verzeihung bittet und schreibt, er sei auf dem Weg nach Paris, dort sei jetzt sein Leben, dort liege seine Zukunft, und was weiß ich noch alles … Sie hat ihn mir vorgelesen … Er muß in der Schublade im Küchenschrank liegen …«

Sie wollte ihn herausnehmen. Maigret winkte ab.

»Wissen Sie, an welchem Tag das war?«

»Warten Sie … Das kann ich Ihnen schon sagen …«

Sie ging ins Zimmer, sprach leise mit Duffieux, der sie einen Moment lang verständnislos ansah, dann zum Kommissar hinüberschaute. Er überlegte sich, weshalb man ihm eine solche Frage stellte, suchte in seinem Gedächtnis, antwortete endlich.

»Das muß am Dienstag gewesen sein... In der Nacht von Dienstag auf Mittwoch...«

»Hat er seither von sich hören lassen?«

»Marthe hat mir vorgestern eine Ansichtskarte gezeigt, die sie aus Paris erhalten hat...«

Kommissar Mansuy hatte es aufgegeben, etwas zu begreifen. Er sah Maigret immer noch mit einem unguten Gefühl an, als verdächtigte er ihn, im Besitz dämonischer Kräfte zu sein. Es hätte ihn nicht einmal mehr überrascht, wenn er im Laufe des Tages erfahren hätte, auch der junge Duffieux sei tot.

Als sie das Haus verließen, bahnte sich ein junger Mann im Regenmantel einen Weg durch die Menge der Schaulustigen.

»Ein Journalist«, erklärte Mansuy.

Maigret zog es vor, so schnell wie möglich zu gehen. Nun fing das ganze Affentheater an: die Journalisten, die Fotografen, die Staatsanwaltschaft, dann diese Herrschaften aus Poitiers mit ihren Verhören, die Beamten vom Erkennungsdienst, die sich mit ihren Apparaten in den kleinen Zimmern drängen und die Leiche des Mädchens von allen Seiten fotografieren würden.

»Haben Sie das kommen sehen?« wagte Mansuy endlich zu fragen, als sie im Wagen zum Kommissariat zurückfuhren.

Und Maigret mit einem Ausdruck, als wäre er eben ganz anderswo gewesen:

»Irgend etwas habe ich kommen sehen...«

»Gehen Sie noch einen Moment mit in mein Büro?«

Das Kommissariat begann wieder sein gewöhnliches Gesicht anzunehmen, voll von Leuten, die irgendeine amtliche Bescheinigung, eine Unterschrift, irgendein Papier benötigten, armen, geplagten Menschen, die ergeben auf den Bänken warteten, ob die gnädigen Herren ein Einsehen haben möchten. Überall wurde Mansuy verlangt, aber er ging zunächst in den ersten Stock.

»Poitiers hat angerufen«, teilte ihm ein Inspektor mit. »Sie schicken Piéchaud und Boivert. Sie sind vor einer Stunde losgefahren und werden gegen zehn Uhr hier sein. Jemand vom Erkennungsdienst ist auch dabei. Wir sollen rund um die Stadt Straßensperren errichten und alle Verdächtigen festhalten.«

Mansuy entgegnete:

»Ist schon geschehen.«

Und dabei sah er kleinmütig Maigret an, als wollte er sagen:

»Was bleibt mir anderes übrig? Ich weiß, es nützt nichts, eine reine Routineübung, aber ich muß mich daran halten.«

»Hat Dr. Jamar nicht angerufen?«

»Nein, noch nicht.«

»Versuchen Sie, ihn zu erreichen... Um diese Zeit wird er wohl im Krankenhaus sein...«

Dr. Jamar war der Gerichtsmediziner, der außerdem eine Abteilung im Städtischen Krankenhaus leitete.

»Dr. Jamar? Hier Mansuy... Ja... Ja, ich verstehe... Die Ermittlungsbeamten werden gegen elf Uhr hier sein... Ich glaube, Sie machen sich besser erst auf den Weg, wenn ich Sie benachrichtige, denn es kann gut sein, daß die Herren Verspätung haben... Ich werde Sie anrufen, und wenn Sie den Wagen nehmen, sind Sie ja im Nu dort... Selbstverständlich... zwischen elf Uhr abends und zwei Uhr früh?... Vielen Dank... Nein, ich leite die Untersuchung nicht... Ich warte auf Poitiers... Wie?...«

Ein Blick zu Maigret. Er zögerte.

»Ich glaube nicht, daß er sich damit befaßt... Jedenfalls nicht offiziell...«

»Sehr gut«, stimmte Maigret mit einem Nicken zu.

Er hatte begriffen. Er hätte Wort für Wort wiederholen können, was der Arzt gesagt hatte, obwohl er ihn nicht gehört hatte. Eine oberflächliche Untersuchung genügte nicht, um die genaue Todesstunde festzustellen. Schätzungsweise zwischen elf Uhr abends und zwei Uhr früh...

»Sie wollen gehen?«

»Zur Beerdigung, ja.«

»Ich werde versuchen, auch kurz vorbeizuschauen, entweder im Trauerhaus oder in der Kirche, obwohl ich nicht weiß, ob man mir die Zeit dazu lassen wird. Entschuldigen Sie mich bitte bei Bellamy...«

Immer noch dieser eingeschüchterte Blick zu Maigret, besonders als er das letzte Wort aussprach; aber der des Kriminalkommissars blieb undurchdringlich.

»Bis nachher...«

»Wenn diese Herren sich nach Ihnen erkundigen...?«

»Sagen Sie ihnen, daß ich auf Urlaub bin.«

Es war noch zu früh, um ins Trauerhaus zu gehen; vorher wollte er aber unbedingt noch zum Kai. Nicht um etwas zu trinken. Freilich betrat er eine seiner gewohnten Kneipen und nahm einen Schnaps, aber in erster Linie wollte er Popine sprechen. Eine Menge Kunden waren in ihrem Laden. Die Ärmel hochgekrempelt, griff Francis' Geliebte mit ihren rosigen, feisten Armen in die mit Fischen und Meeresfrüchten gefüllten Körbe, wog sie, ließ die Kasse klingeln.

»Und du, meine Süße?«

Sie duzte alle ihre Kundinnen, und ihr Blick wirkte an diesem grauen Morgen so strahlend, ihre Gesichtsfarbe so frisch, daß selbst die Dinge um sie herum dadurch ansehnlicher aussahen.

»Wem sagst du das, Mädchen!... Dem Schwein, das zu so etwas imstande ist, glaub mir, ich würde ihm eigenhändig die Augen auskratzen, und noch was dazu, will sagen...«

Sie bemerkte Maigret, nahm die Ware von der Waage, wischte sich die Hände an der Schürze ab und rief ihre Hilfe herbei.

»Kannst du mich mal kurz vertreten, Mélanie?... Hier lang, Monsieur Maigret...«

Und kaum waren sie in dem kleinen Eßzimmer, das von Küchengerüchen erfüllt war:

»Glauben Sie, daß er es war?... Daß er sie getötet hat?... Wer hätte das gestern abend gedacht, als wir zu dritt so nett plauderten?... Wenn Sie mir nur gesagt hätten, daß Sie die Tochter von Marthe meinten... Wir sind zusammen zur Schule gegangen... Nicht lange zwar...«

»Kennen Sie das Zimmermädchen Madame Bellamys?«

»Jeanne? Und ob ich sie kenne, wenn auch sie mich nicht mehr kennt. Ich erinnere mich noch, wie sie sich barfuß auf der Straße herumtrieb. Ihre Mutter arbeitet in der Sardinenfabrik. Da wurde sie auch hingeschickt, kaum daß sie dreizehn war, bis sie dann in bürgerliche Anstellung kam. Seit sie Zimmermädchen beim Doktor ist, würdigt sie niemanden mehr eines Blickes. Fragen Sie nur Francis ...«

»Wissen Sie nicht, wie und wo ich mit ihr sprechen könnte?«

»Das wird nicht einfach sein, außer im Hause selbst. Seit ihre Mutter sich wieder verheiratet hat, geht sie nicht mehr zu ihr. Sie geht auch nicht tanzen. Sie ist vernarrt in ihre Herrin. Sie umhätschelt sie und hängt wie eine Klette an ihr, sie würde auf ihrem Bettvorleger schlafen, wenn sie das dürfte. Francis kann immer froh sein, wenn sie sich dazu herabläßt, ihm zu antworten... Nun sagen Sie schon... Werden Sie den Doktor verhaften?...«

»Ich glaube nicht, daß davon die Rede sein kann... Ich danke Ihnen ...«

»Sie werden doch wohl wiederkommen?... Jetzt ist vielleicht nicht der Moment, um zu plaudern... Aber wenn Sie heute abend auf ein Glas vorbeikommen möchten... Ich bin ja so gespannt, wie das weitergeht...«

Aber sie hatte doch ein empfindsames Herz und hätte dem Mörder, wenn sie ihn zwischen die Finger bekommen hätte, die Behandlung angedeihen lassen, die sie im Laden in Aussicht gestellt hatte.

Am Strand war noch nichts bekannt geworden, und er bot den gewohnten Anblick mit den Müttern und ihren Rangen in Badeanzügen, den Sonnenschirmen und roten und blauen Bällen, den Badenden, die sich in die Wellen warfen.

Auf dem Remblai hingegen sah man schwarzgekleidete

Leute, die auf dem Weg zum Haus von Dr. Bellamy waren. Das waren Einheimische. Sie begrüßten einander mit einem Händedruck, bildeten kleine Gruppen, schauten auf die Uhr und traten endlich in feierlichem Ernst durch die schwarz mit Silberborten drapierte Eingangstür.

Maigret erkannte die Herren Lourceau und Perrette sowie andere Stammgäste der ›Brasserie‹, die ihre Kondolenz bereits abgestattet hatten und nun, Vertraulichkeiten austauschend, warteten.

Auch er ging hinein. Es war nicht nötig gewesen, einen der Salons in eine Trauerkapelle zu verwandeln, denn die Eingangshalle war dazu groß genug. Sowohl die Treppe als auch die Türen, alles war hinter schwarzen Behängen verborgen, und um den prunkvollen Sarg, in einer Fülle weißer Blumen, brannten Kerzen.

Philippe Bellamy, als einziger Vertreter der Trauerfamilie, stand unbeweglich da, und einer nach dem andern trat, nachdem er einen Buchsbaumzweig in Weihwasser getaucht hatte, vor ihn, um sich zu verneigen.

Er sah eindrücklicher denn je aus, ganz in Schwarz bis auf den Hemdkragen, die Hemdbrust und die Manschetten. Seine Gesichtszüge erschienen noch feiner, wie herausgemeißelt. Er nahm die Beileidsbezeigungen alle mit der gleichen leichten Verneigung entgegen, richtete sich wieder auf und sah dem nächsten gerade in die Augen.

Maigret folgte dem Beispiel der andern, verbeugte sich und begegnete demselben undurchdringlichen Blick. Es lag keine Spur von Unruhe darin. Nichts deutete darauf hin, daß er für Bellamy etwas anderes gewesen wäre als einer unter vielen.

Der Unterpräfekt kam, er hatte seinen Wagen einige Häuser weiter geparkt. Auch der Bürgermeister und der stellvertretende Bürgermeister waren da, wie überhaupt alles, was in der Stadt Rang und Namen hatte. Vermutlich drehten sich die Gespräche um das ermordete Mädchen...

Der Leichenwagen fuhr vor. Bis der Trauerzug sich formiert hatte, dauerte es eine Weile; dann setzte er sich Richtung Kirche in Bewegung. Auch hier war das Portal schwarz verhüllt.

Die Männer nahmen auf der rechten Seite Platz, und auch hier noch saß Dr. Bellamy allein in der ersten Reihe.

In der zweiten Reihe, unter den Freunden der Familie, erkannte Maigret den älteren Herrn, den er am Vorabend in Begleitung von Madame Godreau gesehen hatte.

Diese saß im Seitenschiff links. Sie war ganz in Schwarz und trug einen Schleier. Fortwährend tupfte sie sich mit einem Taschentuch, dessen Parfum durch den Weihrauch bis zu Maigret herüberdrang, das Gesicht.

Ein Organist war aus La Roche-sur-Yon angereist. Man hatte auch einen Bariton bemüht, und ein Kinderchor sang. Allmählich hatte sich die Kirche gefüllt, und bei der Opfergabe dauerte es fast eine Viertelstunde, bis alle am Sarg vorbeigezogen waren.

Der Katafalk versperrte Maigret die Sicht auf die Mutter Dr. Bellamys, die neben Madame Godreau stand; ab und zu hörte man ihren Stock auf dem Steinboden scharren.

Odette Bellamy war nicht anwesend. Francis ging zusammen mit der Köchin am Sarg vorüber. Offenbar war Jeanne, das Zimmermädchen, zu Hause bei ihrer Herrin geblieben.

Als die Trauergemeinde wieder auf die Straße trat, war die Sonne durchgebrochen. Sie verlieh der Stadt ein so vertrautes Aussehen, daß die wirkliche Stimmung für einen Augenblick in Vergessenheit geriet.

Auf dem Weg zum Friedhof, wohin der Trauerzug nun langsam vorrückte, sah Maigret von weitem kurz seinen Kollegen Mansuy: schwitzend, immer noch unrasiert. Aber es war ihm immerhin gelungen, sich kurz freizumachen.

Einige Vertraute begleiteten Bellamy bis zum Ausgang. Er stieg in den Wagen von Dr. Bourgeois, der ihn wohl nach Hause brachte.

Ob es jetzt noch eine Familienzusammenkunft geben würde? Würde Madame Godreau und ihrem Begleiter überhaupt Einlaß gewährt im weißen Haus am Remblai?

Maigret fand Mansuy nicht wieder und mußte zu Fuß in die Innenstadt zurückgehen. Es war zehn nach zwölf, als er auf seine Uhr schaute. Da fiel ihm ein, daß er etwas vergessen, daß er gegen einen Ritus verstoßen hatte. Aber er ahnte nicht, daß er mit seiner Vergeßlichkeit ein regelrechtes kleines Drama ausgelöst hatte.

In der Klinik hatte nämlich Madame Maigret tatsächlich zum ersten Mal die Erlaubnis erhalten, ihr Bett zu verlassen. Sie konnte noch nicht gehen, aber für eine Stunde – nicht länger, hatte der Arzt betont – hatte man sie in einen Rollstuhl gesetzt. Zum ersten Mal auch war sie nun durch die Flure gekommen, hatte kurz in die andern Zimmer geblickt und die Gesichter derer gesehen, die sie bis dahin nur ihren Stimmen und ihren Wehklagen nach gekannt hatte.

Es war eine kleine Verschwörung, die sie mit Schwester

Marie des Anges ausgeheckt hatte, natürlich ganz leise, um Mademoiselle Rinquet keinen Kummer zu bereiten, die ohnehin griesgrämiger denn je war. Sie wollte Maigret, der zuverlässig Punkt elf Uhr anrufen würde, eine Überraschung bereiten. Am Ende des Korridors, im großen Aufenthaltsraum mit den breiten Fenstern, der das Sonnenzimmer genannt wurde, gab es ein Telefon.

Schwester Aurélie war eingeweiht. Wenn Monsieur 6 anriefe, sollte sie ihn, anstatt ihm zu antworten, gleich mit dem Aufenthaltsraum verbinden. Wie würde er staunen, am andern Ende der Leitung die Stimme seiner Frau zu vernehmen!

Schon eine Viertelstunde vorher saß sie im Rollstuhl auf ihrem Posten. Um halb zwölf bestand Schwester Marie des Anges darauf, die Kranke auf ihr Zimmer zurückzubringen.

Um zwölf lag Madame Maigret enttäuscht wieder in ihrem Bett, und die Nonne versuchte vergeblich, sie aufzuheitern, während über die abgespannten Züge von Mademoiselle Rinquets Gesicht ein triumphierendes Lächeln huschte.

»Es sind zwei Herren da, die auf Sie warten. Anscheinend Freunde von Ihnen. Da sie in Eile sind, haben sie sich schon zu Tisch gesetzt. Sie wollten Zimmer haben, aber ich habe keines frei...«

Und fast flehentlich fügte Monsieur Léonard hinzu:

»Sie nehmen doch einen kleinen Aperitif?«

Die beiden Männer, die schon beim Essen an Maigrets Tisch saßen, waren Piéchaud und Boivert, die Inspektoren der mobilen Brigade, die beide schon mit dem Kommissar zusammengearbeitet hatten. Die Serviette in der Hand, erhoben sie sich gleichzeitig.

»Entschuldigen Sie, Chef... Wir haben gerade noch kurz Zeit, etwas zu essen, bevor die Staatsanwaltschaft kommt.«

»Ich dachte, die sollte um elf Uhr dort eintreffen?«

»Das hätte auch geklappt, wenn man den Untersuchungsrichter gefunden hätte... Aber er war gerade auf dem Land... Die Leute, bei denen er zu Mittag aß, haben kein Telefon, und man mußte übers Rathaus den Landgendarmen anfordern, um ihn zu holen... Kurz, um ein Uhr werden alle hier sein... Sind Sie dabei?«

Jemand – vielleicht Mansuy? – mußte ihnen erzählt haben, wie sich Maigret verhielt, denn sie zwinkerten einander zu.

»Wobei?«

»Ich weiß schon, Sie sind hier in den Ferien... Wir kennen das, nicht wahr, Boivert?...«

Der eine war ungefähr dreißig, der andere fünfunddreißig Jahre alt. Sie waren beide vom Fach. Leute, die, wie es am Quai des Orfèvres hieß, ihr Geschäft verstanden. Piéchaud, der Ältere, war bei der Festnahme eines Polen nur haarscharf davongekommen, auf seiner rechten Wange trug er die Narbe, die die Kugel hinterlassen hatte.

Maigret, der zerstreut wirkte, hatte Platz genommen und seine Serviette auseinandergefaltet. Er hörte nur mit einem Ohr zu, während er sich mit der Vorspeise bediente.

»Wissen Sie schon, daß die Kleine nicht vergewaltigt wurde?... Auf den ersten Blick sah es ja danach aus... Ein

Lustmord... Das hatte man uns in Poitiers gesagt... Die hiesige Polizei hat ein gutes halbes Dutzend Landstreicher festgenommen... Es ist unglaublich, wie viele davon sich in der Gegend herumtreiben... Allerdings, wenn es so einfach wäre, hätten Sie sich kaum schon gestern mit der Sache befaßt, nicht wahr?«

Sie wollten ihm die Würmer aus der Nase ziehen.

»Wir möchten weiter nichts als mit Ihnen zusammenarbeiten... Weder Boivert noch ich kennen uns in der Stadt aus... Und daher... Kurz...«

Da Maigret sich in Schweigen hüllte, wußte der Mann nicht mehr, was er sagen sollte.

»Ganz wie es Ihnen beliebt, natürlich!... Aber da den Herren von der Staatsanwaltschaft sicher bekannt ist, daß Sie hier sind... würde es mich wundern, wenn sie nicht darauf bestehen, Sie zu sehen...«

»Ich bin hier auf Urlaub...«, wiederholte Maigret, während er sich einschenkte.

»Selbstverständlich...«

»Falls ich etwas erfahren sollte, werde ich es Sie wissen lassen...«

»Sie waren immer ein verläßlicher Mann...«

Beinahe hätte er gelächelt. Ganz kurz nur. Kaum der Anflug einer Aufheiterung. Und schon hatte sich seine Stirn wieder umwölkt. Er hatte auch keinen Appetit. Es war ihm nicht wohl in seiner Haut, als ob ihm eine Grippe in den Gliedern steckte.

»Jedenfalls, wenn Sie jemanden überwachen lassen möchten, oder irgend etwas...«

»Danke.«

»Wir müssen jetzt gehen… Es ist Zeit…«

Im Flur, nachdem Monsieur Léonard ihnen ein kleines Hotel genannt hatte, in dem vielleicht noch Zimmer frei waren, schauten sie sich von neuem an, und unter der Tür bemerkte Piéchaud, der Ältere:

»Nicht eben heiter, der Chef…«

6

Es war noch nicht halb drei, als er am Kliniktor klingelte, und weder hatte er seine Uhr aus der Tasche gezogen noch auf den Glockenschlag gewartet.

Er warf Schwester Aurélie, die ihn überrascht, beinahe tadelnd, ansah und zögerte, zum Telefon zu greifen, ein kurzes mechanisches Lächeln zu, das seine Züge nur für einen Augenblick aufhellte; dann machte er wieder sein verdrießliches, oder vielmehr, verbissenes Gesicht.

»Ich komme nicht wegen meiner Frau«, ließ er verlauten. »Erst möchte ich die Oberschwester sprechen.«

»Sind Sie auch sicher, Monsieur 6, daß Sie sich an die Oberschwester wenden müssen? Für alles, was die Patienten und die Klinik im allgemeinen betrifft, auch falls Sie etwa eine Beschwerde anzubringen haben, ist die Verwaltungsschwester zuständig...«

»Bitte melden Sie der Oberschwester, Kommissar Maigret wünsche sie zu sprechen.«

Schwester Aurélie widersprach lieber nicht mehr, und während sie telefonierte, starrte er mit einer Art Groll auf die zu glatten Wände und die zu blank gebohnerte Treppe.

»Wenn Sie sich einen Augenblick gedulden wollen«, sagte die Nonne.

»Danke.«

Mit im Rücken verschränkten Händen ging er in der Vorhalle auf und ab. Allein der Gedanke, daß man ihn warten lassen könnte, machte ihn wütend. Er war ganz erstaunt, als plötzlich, nachdem er noch einmal kehrtgemacht hatte, eine ihm unbekannte Schwester vor ihm stand und auf ihn wartete.

»Wollen Sie mir bitte folgen, Monsieur...«

Nicht die Treppe hinauf. Es ging, am Ende der Halle, durch eine mit Beschlägen verzierte Eichentür, und jenseits davon war alles noch wattierter, noch süßlicher, noch stiller als in der Klinik. Die Nonnen mußten auf Filz- oder Gummisohlen gehen, denn man hörte ihre Schritte nicht. Zweimal blickte er auf dem komplizierten Weg durch die Korridore hinter sich, als er ein undefinierbares Geräusch hörte, das Rascheln eines weiten Rocks, das Klappern eines Rosenkranzes, und vielleicht waren es auch einfach Luftschwingungen, hervorgerufen von einer der Schwestern, die so fledermaushaft umherschwebten.

Er sah kurz eine Kapelle, auf deren Altar künstliche Blumen lagen. Dann hieß man ihn in einen Aufenthaltsraum eintreten, wo schwarze Stühle mit dunkelroten Samtbezügen an den Wänden aufgereiht standen.

»Unsere Ehrwürdige Mutter kommt gleich...«

Und immer wieder das Geräusch sich bauschender Gewänder, das leise Klappern von Rosenkränzen, die von den vorbeischwebenden Hauben mit ihren abstehenden Flügeln bewegte Luft.

»Monsieur...?«

Er zuckte zusammen, denn während die andern für ihn Nonnen und nichts als Nonnen gewesen waren – und obwohl auch diese hier dieselbe Tracht trug, in deren weiten Ärmeln die Hände verschwanden –, war sie eine Frau, eine Frau von einem bestimmten Alter und einer bestimmten gesellschaftlichen Herkunft.

Sie war groß und schlank, mit ausgeprägten Zügen; ihr Blick aus grauen Augen ruhte auf ihm.

»Nicht wegen meiner Frau wollte ich Sie sprechen, Schwester...«

Wahrscheinlich, fiel ihm ein, hätte er sie Ehrwürdige Mutter oder so ähnlich nennen müssen, aber diese Worte kamen ihm nicht über die Lippen.

»Ich möchte mich einige Minuten mit Schwester Marie des Anges unterhalten...«

Er hatte erwartet, daß sie auffahren würde, aber sie sah ihn weiter mit derselben unpersönlichen Ruhe an, und er fing schon an, sie nicht zu mögen.

»Sie wissen vielleicht, daß nach den Vorschriften...«

»Entschuldigen Sie, Schwester, aber es geht heute nicht um die Vorschriften.«

Er errötete ein wenig, weil er sich so schnell aus der Ruhe hatte bringen lassen.

»Ich wollte Ihnen nur klarmachen«, fuhr sie mit gleichbleibender Stimme fort, »daß Sie nach den Vorschriften eine unserer Schwestern nur im Beisein einer andern Schwester sprechen dürfen.«

»Und wenn ich sie im Auftrag des Untersuchungsrichters sehen möchte?«

Er hatte sich vorgenommen, diplomatisch zu sein, aber aus irgendeinem Grund ärgerte ihn diese Vertreterin des Großbürgertums in Schwesternhaube. Er wußte auch, weshalb. Denn während er hier stand, machten sich in dem kleinen Haus der Familie Duffieux die Herren von der Staatsanwaltschaft breit, und Inspektoren stapften umher. Diese Leute hatten ihr Leben lang nichts anderes getan, als zu arbeiten und sich die Groschen vom Mund abzusparen. Und nun lag in ihrem Hause eine Tote, die Kleine, und anstatt sie ihrem Kummer zu überlassen, lag man ihnen ungeniert mit Fragen über ihre intimsten Angelegenheiten in den Ohren, während die Gaffer sich an den Fenstern die Nasen plattdrückten und die Journalisten sie mit Blitzlichtern bombardierten. Na und?

»Schwester Marie des Anges ist sehr jung, Monsieur, und in ihren Gefühlen nicht gefestigt.«

Er begnügte sich mit einem Achselzucken.

»Ich lasse sie holen.«

Sie ging hinaus und sagte kurz etwas zu einer Nonne, die anscheinend hinter der Tür gestanden hatte, denn gleich war sie wieder da.

»Ich habe Ihren Besuch erwartet. Schwester Marie des Anges hat mir gestern gebeichtet. Sie hat einen schweren Verstoß gegen die Vorschriften begangen, indem sie diesen Zettel schrieb, ohne es mich wissen zu lassen.«

Daß seine Gesprächspartnerin so weit Bescheid wußte, verblüffte ihn und brachte ihn aus dem Konzept.

»Es war ein – man könnte sagen, unglücklicher – Zufall, daß sie ein oder zwei Stunden auf Zimmer 15 Wache hielt. Sie ist noch nicht an Fälle von Schwerkranken gewöhnt, und der Todeskampf des unglücklichen jungen Mädchens hat sie tief bewegt.«

Mißtrauisch fragte Maigret dazwischen:

»Kennen Sie Dr. Bellamy?«

»Ja, ich kenne ihn.«

»Will sagen: Kennen Sie ihn nur als Arzt, oder sind Sie auch sonst schon in Kontakt mit ihm gekommen?«

Denn die beiden gehörten offenbar zur selben Gesellschaftsschicht.

»Ich kenne ihn nur als Arzt. Ich stamme aus Bordeaux. Da Sie es so wünschen, wird Ihnen Schwester Marie des Anges selbst, so wie ich es ihr anweisen werde…«

Sie war es, die hier Anweisungen gab, nicht er!

»…Wort für Wort wiederholen, was sie gehört hat oder glaubt, gehört zu haben. Es ist nicht nötig, sie mit Fragen zu quälen, um ihrem Gedächtnis nachzuhelfen. Das habe ich schon getan. Die Sätze, die Sie hören werden, unterscheiden sich in nichts von dem, was viele Sterbende im Delirium von sich geben. Ich kann mir jedoch vorstellen, daß jemand, der keine Erfahrung hat, versucht sein könnte, ihnen eine Bedeutung beizumessen, die sie nicht haben. Schwester Marie des Anges hat unbesonnen eine schreckliche Verantwortung auf sich genommen. Sie werden die gleiche Verantwortung zu tragen haben, wenn Sie sie angehört haben, und ich bitte Gott, daß er Ihnen die weise Zurückhaltung gibt, die vonnöten ist.«

Ein Rascheln im Flur.

»Treten Sie ein, Schwester. Sie können nun mit meiner Ermächtigung Monsieur Maigret gegenüber die Worte wiederholen, die Sie mir gestern anvertraut haben.«

»Bleiben Sie nur«, entschied plötzlich der Kommissar. Schwester Marie des Anges errötete und sah der Reihe nach beide an.

»Sie lag im Koma«, begann sie stammelnd. »Einmal während meiner Wache schlug sie um sich, versuchte sich im Bett aufzurichten, dann hat sie sich an meinen Arm geklammert und geschrien:

›*Haben sie...*‹«

Sie unterbrach sich, suchte erneut die Zustimmung der Oberschwester. Maigret behielt sein grummliges Gesicht.

»›*Haben sie ihn verhaftet?... Sie dürfen ihn nicht verhaften... Verstehen Sie?... Ich will es nicht... Ich will es nicht...*‹«

Sie unterbrach sich nochmals. Maigret erriet, daß noch Schwerwiegenderes zu sagen blieb, als die Oberschwester eingriff. Sie sagte:

»Fahren Sie fort. Sie wissen, daß ich mir Ihre Aussagen notiert habe, und ich werde sie gewünschtenfalls dem Kommissar weitergeben.«

»Dann sagte sie noch:

›*Man darf ihr nicht glauben... Das Ungeheuer ist sie...*‹«

»Ist das alles?«

»Das ist alles, was ich im Moment verstehen konnte. Bei einigen Worten bin ich mir nicht ganz sicher.«

Gleichwohl hatte sie noch etwas auf dem Herzen. Maigret merkte es dem fragenden Blick an, den Schwester Marie des Anges auf die Oberschwester richtete.

»Bei anderer Gelegenheit haben Sie noch andere Worte aufgeschnappt?«

»Ja... Aber sie ergaben keinen Sinn... Sie sprach von einem silbernen Messer...«

»Über diese beiden Worte sind Sie sich ganz sicher?«

»Ja, denn sie hat sie mehrere Male ausgesprochen... Und dann hat sie noch gesagt:

›*Ich nahm es in die Hand...*‹

Und dabei hat sie heftig gezittert...«

»Ist das alles, Schwester?«

Gelassen, mit sanfter, aber fester Stimme gab die Oberschwester ihre Weisung:

»Sie können gehen, Schwester.«

Maigret zog die Brauen zusammen und wollte Einspruch erheben. Mit der gleichen Ruhe bedeutete sie ihm indessen zu schweigen und schloß eigenhändig die Tür.

»Das übrige, das zudem völlig belanglos ist, erzähle ich Ihnen lieber selbst. Ich kann es nicht verantworten, von einer unserer jüngsten Schwestern zu verlangen, daß sie in Gegenwart eines Mannes über gewisse Dinge spricht. Ich weiß nicht, ob Sie schon einmal am Bett eines Kranken gewacht haben, der im Delirium war.«

Und das fragte sie Maigret, der dreißig Jahre Kriminalpolizei hinter sich hatte!

»Ich will nur betonen, daß es manchmal zu massiven Persönlichkeitsveränderungen kommt. Ein Arzt könnte es Ihnen besser erklären als ich. Tatsache ist, daß dieses junge

Mädchen wiederholt unflätige Worte von sich gab, die ich Ihnen nicht wiederzugeben brauche.«

»Schwester Marie des Anges hat sie Ihnen genannt?«

»Es war meine Pflicht, sie anzuhören.«

»Ich nehme an, daß diese Worte sich auf sexuelle Dinge bezogen?«

»Die meisten. Ich sage nur, es waren Ausdrücke, wie sie in keinem Wörterbuch stehen.«

Er zögerte, senkte schließlich den Kopf.

»Ich danke Ihnen«, brachte er hervor.

Und wie um ihm sein vorheriges Verhalten zu verzeihen, erklärte sie in ganz neuem Tonfall:

»Ich nehme an, daß Sie nun unsere liebe Patientin sehen möchten. Sie war, wie man mir berichtet hat, sehr bekümmert, als Sie nicht wie gewohnt anriefen. Stellen Sie sich vor, daß sie extra aufgestanden war und sich darauf gefreut hatte, Ihnen selber zu antworten.«

»Vielen Dank...«, sagte er nochmals, als sie zusammen, die Schwester voran, den Korridor entlanggingen.

Die Tür mit den Beschlägen ging auf, er war draußen, hinausgeschleust. Wieder in der Klinik, kam ihm diese, verglichen mit dem eigentlichen Kloster, vulgär und lärmig vor.

Oben an der Treppe erwartete ihn nicht Schwester Marie des Anges, sondern Schwester Aldegonde. Madame Maigret sah ihn leicht besorgt an, wagte aber nicht, ihm Fragen zu stellen.

»Verzeih mir«, sagte er. »Ich war heute morgen sehr beschäftigt.«

»Ich weiß.«

»Was weißt du?«

»Es fiel mir erst jetzt ein. Du bist doch wahrscheinlich bei der Beerdigung gewesen? Hast du unsern Kranz gesehen?«

Es war seine Frau, die ihm diese Frage stellte! Vierzehn Tage in der Klinik hatten genügt, um aus ihr eine andere zu machen.

»Es geht mir schon viel besser, weißt du …«

»Ja, und du bist aufgestanden, nicht?«

»Wer hat es dir gesagt?«

Er traute sich nicht, die Oberschwester zu erwähnen. Er wollte so schnell wie möglich wieder hinaus. Die Art, wie Madame Maigret ihn anschaute, behagte ihm nicht; er gab sich Mühe, möglichst ungezwungen über banale Dinge zu reden.

So lang war die halbe Stunde noch nie gewesen, vor allem auch, weil nicht Schwester Marie des Anges zwischendurch auftauchte und sie unterbrach. Als er sich vor dem Weggehen über seine Frau beugte, um sie zu küssen, flüsterte sie ihm zu: »Zimmer 15, das ist, was dich so beschäftigt, nicht?«

Sie hatte es erraten, natürlich! Mit einem leicht vorwurfsvollen Unterton, aber doch ergeben, fügte sie hinzu:

»Du hast dich so gefreut, endlich Ferien zu machen. Rufst du morgen an?«

Er mußte vor der Tür noch einmal kehrtmachen, weil er ganz vergessen hatte, sich von Mademoiselle Rinquet zu verabschieden. Merkwürdigerweise ging er in keine einzige der Bars hinein, an denen ihn sein langer Weg durch die Straßen vorbeiführte. Vom Hotel aus rief er an.

»Hallo... Ich möchte bitte Dr. Bellamy sprechen... Hallo!... Sind Sie es, Doktor?... Bitte entschuldigen Sie die Störung... Ich habe mir gedacht, Sie seien heute kaum in der ›Brasserie‹ anzutreffen... Ich hätte mich aber doch gern mit Ihnen unterhalten... Wann es Ihnen am besten paßt... Hallo?... Wie bitte?... Jetzt gleich?... Ich danke Ihnen... Ich bin in zehn Minuten bei Ihnen...«

Wie schon am Morgen überging er Monsieur Léonard, der mit unterwürfiger Miene um ihn herumstrich, wie ein Hund, der nicht begreift, warum sein Herr ihn nicht mehr streichelt.

»Und wenn diese Herren sich erkundigen sollten, wo Sie sind?...« erkühnte er sich zu fragen.

»Sagen Sie ihnen, Sie wüßten es nicht.«

Er marschierte los, mit langen Schritten, die Pfeife zwischen die Zähne geklemmt. Die Tür wurde von Francis geöffnet, der ihm einen vielsagenden Blick zuwarf und sagte:

»Sie werden oben erwartet.«

Die schwarzen Behänge, die Kerzen, die Blumen, alles war weggeräumt. Das Haus hatte wieder sein normales Aussehen angenommen, nur ein Geruch nach Weihrauch und Wachs stand noch in der Luft. Maigret folgte dem Diener über den dicken Läufer die Treppe hinauf. Francis öffnete eine Tür, jene zum Arbeitszimmer, und noch bevor er etwas sah, stieg dem Kommissar Zigarrenduft in die Nase.

Zwei Herren in vertraulichem Zwiegespräch, der eine sitzend, der andere – es war Dr. Bellamy – aufrecht stehend, kühl und sachlich wie immer; seinem Ausdruck, seiner

Stimme war nicht die geringste Spur von Nervosität anzumerken.

»Mein lieber Alain«, sagte er, vielleicht mit einer ganz feinen ironischen Spitze an die Adresse des neuen Gasts, »ich habe das Vergnügen, dir Kommissar Maigret vorzustellen, den du schon lange gern kennenlernen wolltest… Monsieur Maigret, mein alter Freund, Alain de Folletier, Untersuchungsrichter in La Roche-sur-Yon…«

Es war ein großer, untersetzter Mann mit lebhafter Gesichtsfarbe. Er trug eine braun-beige Jacke, darunter Reithosen und rötlich-braune Stiefel. Er war es, der eine der Zigarren rauchte, die in einer offenen Kiste neben den Likörgläsern auf dem Schreibtisch lagen.

»Sehr erfreut, Kommissar… Ich brauche Ihnen nicht zu sagen, weshalb ich hier bin… Es ist mir ja übrigens recht peinlich, in dieser Aufmachung zu erscheinen. Ich hatte heute freigenommen, um bei Freunden auf dem Land reiten zu gehen… Man hat alle erdenkliche Mühe gehabt, mich telefonisch zu erreichen, und der Staatsanwalt hat mich gebeten, möglichst sofort zu kommen, ohne mich noch lange umzuziehen…«

Maigret nahm auf dem Ledersessel Platz, den man ihm angewiesen hatte. Der Doktor reichte ihm die Zigarren.

»Chartreuse oder Armagnac?«

Er antwortete geistesabwesend:

»Armagnac.«

Er nahm keine Zigarre, sondern stopfte seine Pfeife. Es war sehr heiß in dem Zimmer; irgend etwas ließ noch die Herzlichkeit des Gesprächs erahnen, das die beiden Männer vorher geführt haben mußten.

»Wir waren zusammen auf dem Gymnasium, Bellamy und ich. Sie werden daher begreifen, daß ich mich nicht mehr damit herumschlagen mußte...«

Mit dieser lästigen Arbeit! Das hatte er sagen wollen! Die Untersuchung der Staatsanwaltschaft bei so langweiligen kleinen Leuten wie den Duffieux.

»Sobald ich diese Angelegenheit hinter mir habe... Sie sind auf dem laufenden, Kommissar?... Ich habe gehört, daß Sie hier sind, allerdings auf Urlaub...«

Ein skeptisches Lächeln umspielte die Lippen des Richters, seinen feinen braunen Schnurrbart.

»Das hindert Sie nicht daran, über manches Bescheid zu wissen, nicht wahr?... Und dann doch den Inspektoren aus Poitiers Ihre Hilfe zu versagen... Das ist Ihr gutes Recht... Ich will Sie nur ein wenig aufziehen... Ich kenne Ihren Ruf, wie alle Welt... Als Sie anriefen und Philippe mir vorschlug, zu bleiben, bis Sie kommen, freute ich mich über die Gelegenheit...«

»Hat Dr. Bellamy Ihnen auch gesagt, weshalb ich ihn sprechen möchte?«

Sie waren zu dritt, der eine seine Pfeife paffend, der andere mit der Zigarre, und der Doktor schließlich rauchte seine dünnen ägyptischen Zigaretten. Chartreuse und alter Armagnac in den Karaffen und Gläsern aus geschliffenem Kristall, die auf dem Schreibtisch standen.

»Er hat mich gerade darüber unterrichtet«, entgegnete der Richter gutgelaunt. »Eine hochamüsante Geschichte... Das sieht Philippe ähnlich, und, gestatten Sie, daß ich hinzufüge, auch Ihnen... Ihnen, so wie man Sie sich vorstellt...«

Der Doktor saß da, die Ellbogen auf den Schreibtisch gestützt, und betrachtete in aller Ruhe abwechselnd die beiden andern.

»Nun, wenn ich recht verstehe, kam Ihnen – Ihren unantastbaren Ferien zum Trotz – an dem Unfall, dem seine unglückliche Schwägerin zum Opfer fiel, etwas nicht ganz koscher vor, und Sie schickten sich an, ihm ein wenig auf die Finger zu sehen...«

Er schlug jenen liebenswürdigen, ganz leicht herablassenden Ton an, in dem sich ein Mann aus altem Adelsgeschlecht mit einem vielleicht interessanten, aber etwas gewöhnlichen Menschen unterhält, den er wie eine Art Phänomen betrachtet, von dem er später seinen Freunden erzählen wird.

»Hat der Doktor Ihnen gesagt, ich hätte ihm auf die Finger gesehen?«

»Nicht mit diesen Worten... Er sagte, es sei ihm nicht entgangen, daß Sie ihn in Verdacht hätten, und er sei Ihnen entgegengekommen, indem er sich Ihnen zur Verfügung stellte und Sie hierher einlud... Das ist ungefähr die Geschichte, nicht?«

»Ungefähr, ja.«

»Das sieht ihm ähnlich... Er spielt den Leuten gern solche Streiche... Ich nehme an, Sie haben Neuigkeiten, da Sie anriefen und um eine Verabredung baten?... Keine Angst, Philippe, ich werde euch allein lassen... Ich weiß besser als jeder andere, daß eine Untersuchung eine verschwiegene Sache ist...«

»Aber ich bitte dich... Monsieur Maigret soll ruhig sprechen...«

Maigret hielt sein Glas in der Hand. Sein Sessel war so tief, daß er in sich zusammengesunken dasaß, den Hals zwischen den breiten Schultern eingezogen.

»Ich möchte Sie unter anderem fragen, Doktor, wo Sie gestern abend waren.«

Ein rascher Blick zum Fenster hin. Bellamy dachte daran, daß er das Licht hatte brennen lassen, vermutlich, um den Anschein zu erwecken, er sei zu Hause. Ob er auch an Francis dachte? Vielleicht. Jedenfalls gab er schlicht zur Antwort: »Ich besuchte meine Schwiegermutter im ›Hôtel de Vendée‹.«

Maigret wäre beinahe rot geworden. Der Richter lächelte, als zählte er die Punkte.

»Sie ist am späten Nachmittag mit ihrem Mann angekommen; sie hat sich nämlich wieder verheiratet.«

Noch ein Punkt! Maigret sah das Paar vor sich, das ihm gestern auf der Straße begegnet war. Wie hatte er das nur übersehen können! Es war so einfach!

»Sie rief mich gegen acht Uhr an. Ich wollte sie nach den Strapazen der Reise nicht zu sehr in Anspruch nehmen und begab mich selbst ins Hotel, um sie über die Ereignisse ins Bild zu setzen.«

»Ich danke Ihnen und erlaube mir eine weitere Frage: In wessen Behandlung ist Ihre Frau seit dem 1. August?«

»Ich habe Dr. Bourgeois beauftragt. Ich hätte sie auch selbst behandeln können, da sie unter Depressionen leidet, aber wie den meisten meiner Kollegen widerstrebt es mir, Familienangehörige zu behandeln.«

Das Lächeln Richter Folletiers zeigte an, daß er einen weiteren Punkt verteilt hatte. Er unterhielt sich köstlich bei diesem Spiel. Das würde eine ausgezeichnete Geschichte hergeben, die er in La Roche und in den Schlössern der Umgebung erzählen könnte.

»An welchem Tag haben Sie Dr. Bourgeois angerufen?«

Ein kaum merkliches Zögern, aber der Untersuchungsrichter, der seine langen Beine ausgestreckt hatte, schien etwas in der Luft zu schnuppern.

»Ich kann mich nicht erinnern.«

»Am ersten Tag?«

»Ich glaube nicht. Ich nehme an, Monsieur Maigret, daß bei Ihnen in der Familie auch schon einmal jemand krank war. Wobei ich ganz vergessen habe, daß Ihre Frau ja im Moment in der Klinik in Behandlung meines Kollegen Bertrand ist. Haben Sie ihn am ersten Tag gerufen?«

»Am zweiten.«

»Sicher, weil sie heftige Beschwerden hatte und das Fieber fast schlagartig einsetzte. Im Falle meiner Frau ...«

Der Richter, ganz Kavalier, wollte Einspruch erheben, als gälte es einem Eindringen in die Intimsphäre Madame Bellamys vorzubeugen, und diesmal schien er Maigret schlichtweg als ungezogenen Kerl zu betrachten.

»Laß nur. Im Falle meiner Frau, sagte ich, hat es mit einer großen Müdigkeit angefangen. Sie blieb im Bett, wie das ja bei Frauen recht oft vorkommt ...«

»An welchem Tag?«

»Ich habe es mir nicht gemerkt.«

»Es war doch zwei Tage vor dem Unfall, nicht?«

»Möglich.«

Der Richter zappelte fast mit den Beinen, so mißbilligte er das Vorgehen des Kommissars.

»Vergessen Sie nicht, Doktor, daß Sie es waren, der mich eingeladen hat, hierherzukommen, sooft ich es wünsche, und Ihnen alle Fragen zu stellen, die ich für nötig halte.«

»Und ich bitte Sie abermals darum.«

»Kam Dr. Bourgeois am Tag des Unfalls?«

»Nein.«

»Am folgenden Tag?«

»Ich glaube nicht.«

»Also frühestens am übernächsten Tag.«

»Ja.«

»Und heute?«

»Noch nicht.«

»Waren Sie bei seinen Besuchen jeweils zugegen?«

»Ja.«

»Das ist ja wohl normal, meine ich«, platzte Alain de Folletier heraus. »Erlauben Sie mir, Ihnen zu sagen, Herr Kommissar, daß ...«

»Laß doch! Ich höre Ihnen zu, Monsieur Maigret ...«

Dieser hatte schon die ganze Zeit von weitem ein Auge auf die Gegenstände geworfen, die auf dem Schreibtisch lagen. Die dicke lederne Schreibunterlage trug, wie auch das Löschblatt, die Initialen des Doktors. Vor dem Tintenfaß lag ein breites Papiermesser aus Elfenbein, daneben ein kleiner, schmaler, spitzer Brieföffner.

»Würden Sie mir erlauben, Ihrem Diener, in Ihrem Beisein selbstverständlich, eine einfache Frage zu stellen?«

Diesmal erhob sich der Richter, und wieder war es der Arzt, der ihn mit einer Handbewegung beschwichtigte, während er gleichzeitig mit der andern Hand die Klingel betätigte.

»Sie sehen«, bemerkte er mit einer Spur Nervosität, »daß ich das Spiel bis zum Ende spiele.«

»Sie sind immer noch der Meinung, es handle sich um ein Spiel?«

Es klopfte an der Tür. Es war Francis, der ganz selbstverständlich nach dem Tablett griff.

»Francis, Kommissar Maigret möchte Ihnen eine Frage stellen, und Sie haben meine Einwilligung zu antworten.«

Das war das zweite Mal an diesem Nachmittag, daß jemand die Erlaubnis erhielt, mit ihm zu sprechen. Und das kam nicht nur daher, weil er, wie der Richter sagte, hier auf Urlaub war. Gewisse Leute führten sich hier auf, als gehörten sie einer besonderen Kaste an, und dem Kommissar stieg darob allmählich das Blut zu Kopf, vor Zorn wohlverstanden.

»Sagen sie mir«, fragte er ohne jeden Nachdruck, »wo haben Sie das silberne Messer hingetan?«

Er nahm sich nicht die Mühe, den Doktor zu beobachten. Es war der Bediente, dem er in die Augen sah. Francis überlegte, versuchte sich zu erinnern, wandte sich dann an seinen Herrn und Gebieter.

»Ist es nicht dort, wo es hingehört?... Ich schwöre Ihnen, ich habe es nicht weggenommen... Wenn Sie gestatten, gehe ich gleich nachsehen...«

Das silberne Messer gehörte also nicht ins Reich der Träume und Alpträume. Es gab tatsächlich ein solches Messer im Hause, zweifellos dasselbe, von dem Lili Godreau in der Klinik phantasiert hatte.

»Das brauchen Sie nicht«, sagte Maigret rasch. »Ich danke Ihnen.«

»Ist das alles?«

Francis konnte nicht anders, als ihm beim Hinausgehen kurz einen vorwurfsvollen Blick zuzuwerfen. Hatten sie nicht am Vorabend, im Eßzimmer bei Popine, Freundschaft geschlossen? Hatte er nicht alles gesagt, was er wußte? Warum also stellte ihn der Kommissar jetzt vor den Leuten als Dieb hin, oder doch beinahe als solchen?

»Ich stehe Ihnen weiterhin zur Verfügung, Maigret.«

»Und ich möchte Ihre Geduld nicht übermäßig in Anspruch nehmen, sowenig wie die des Herrn Untersuchungsrichters.«

Dieser zog seine Uhr aus der Tasche, als wollte er sagen, das Ganze ziehe sich tatsächlich etwas in die Länge. Daß Maigret in die Bibliothek kam, wo die beiden Freunde plauderten, und vor ihnen seine kleine Nummer abzog, das mochte noch angehen. Aber er nahm sich dabei zu viel heraus, wie Kinder, die man Erwachsenen vorstellt und die sich dann von ihrer unerträglichen Seite zeigen.

»Eigentlich hätte ich noch gerne einen Blick in Ihre Praxis geworfen, Doktor.«

»Ganz wie Sie wünschen.«

Lag nicht ein gewisser Überdruß in seiner Stimme?

»Komm mit, wenn du willst, Alain. Ich glaube übrigens, du hast noch gar nie Gelegenheit gehabt, das Nebengebäude zu besichtigen.«

Sie gingen hinunter, Maigret voran, die beiden Männer hinter ihm, wobei der Richter leise auf seinen Freund einredete. Durch eine Tür gelangten sie direkt in den Garten, den sie, an einem kleinen angelegten Teich vorbei, durchquerten.

Ganz hinten befand sich eine Garage aus rotem Backstein, von der es wohl auf die kleine Straße hinausging, und daran angebaut ein einstöckiges Gebäude, zu dem der Doktor sich nun mit einem Schlüssel Zutritt verschaffte, den er aus seiner Tasche nahm.

Der Gang wirkte nüchtern und kalt; das Wartezimmer, in das man nur kurz im Vorübergehen sah, wie alle Wartezimmer. Wenigstens waren die Stühle nicht abgenutzt, wie sonst bei den meisten Ärzten, und an den Wänden hingen nicht die üblichen Aquarelle. Hingegen lagen, wie überall, auf einem Tischchen Stapel von Zeitschriften und Illustrierten.

»Wenn Sie mir bitte folgen möchten...«

Im ersten Stock befanden sich nur zwei Räume. Der größere, sehr helle, war das Sprechzimmer. Es war komfortabel eingerichtet. Zu beiden Seiten des Schreibtisches, der so groß wie der in der Bibliothek war, stand ein Ledersessel. Die ebenfalls mit Leder bezogene, wie neu wirkende Liege an der einen Wand diente offenbar zur Untersuchung der Patienten.

Nachmittags schien die Sonne voll durch die Milchglasscheiben der beiden Fenster herein, die auf den Garten gingen. Vor den Fenstern zur Straße hingen Gardinen: Gegenüber gab es weiter nichts als die lange, fensterlose Mauer eines Lagerhauses.

Maigret öffnete einen Spaltbreit die Tür zum andern Zimmer, das kleiner war und einen Waschtisch und die Glasschränke enthielt, in denen die vernickelten Instrumente ordentlich aufgereiht lagen.

Er blickte langsam um sich, die Hände in den Taschen,

sehr zum Verdruß des Richters, dem sein Verhalten immer mehr auf die Nerven ging. Dann beugte er sich über den Schreibtisch.

»Das silberne Messer ist nicht an seinem Platz«, stellte er schlicht fest.

»Wer hat Ihnen gesagt, es gehöre hierher?«

»Es ist nur eine Vermutung. Wenn Sie Ihren Diener nochmals rufen wollen, können wir ihn ja danach fragen.«

»Tatsächlich lag auf meinem Schreibtisch ein Papiermesser mit silbernem Griff. Es ist mir gar nicht aufgefallen, daß es verschwunden ist...«

»Sie haben aber doch seit dem 1. August Patienten hier empfangen?«

»Ich habe im Prinzip dreimal wöchentlich Sprechstunde, und an den andern Tagen nach Vereinbarung.«

»Wann genau sind diese Sprechstunden?«

»Sie können es auf dem Messingschild draußen an der Tür nachlesen. Montags, mittwochs und freitags von zehn bis zwölf.«

»Abends nie?«

»Wie bitte?«

»Ich fragte Sie, ob Sie abends nie Patienten empfangen.«

»Selten, es sei denn, ein Patient ist tagsüber verhindert.«

»Ist so ein Fall in der letzten Zeit vorgekommen?«

»Ich könnte mich nicht erinnern, aber schauen Sie doch selbst in meinem Terminkalender nach.«

Maigret blätterte ihn ungeniert durch, las Namen, die ihm nichts sagten.

»Würde es sich jemand aus dem Hause erlauben, Sie zu stören, während Sie hier sind?«

»Jemand aus dem Hause? Was verstehen Sie genau darunter?«

»Ein Hausangestellter zum Beispiel... Ihr Diener... Oder das Zimmermädchen Ihrer Frau...«

»Nein, bestimmt nicht. Das Nebengebäude ist mit der Wohnung durch ein Haustelefon verbunden.«

»Ihre Frau?«

»Ich glaube, sie hat noch nie einen Fuß in die Praxis gesetzt. Außer am Tag unserer Heirat, als ich mit ihr einen Rundgang durchs Haus machte...«

»Ihre Mutter?«

»Nur, wenn ich nicht da bin und hier großes Reinemachen ist, weil sie dann das Personal zu beaufsichtigen hat.«

»Ihre Schwägerin?«

»Nein.«

Die beiden Männer gaben sich keine Mühe mehr, höflich zu sein. Es war ein Schlagabtausch mit kurzen, bissigen Antworten. Keiner der beiden versuchte, eine verbindliche Miene aufzusetzen. Maigret öffnete in aller Seelenruhe eines der Fenster, das den Blick auf die Bäume des Gartens freigab. Zwischen einer Buche und einer Kiefer mit ihrem dunkleren Laubwerk sah man auch einen Teil des Hauses, namentlich zwei Fenster im ersten Stock und eine Dachluke im zweiten, der zu Mansarden ausgebaut war.

»Zu welchem Zimmer gehören diese Fenster?«

»Das linke zu einem Flur, das rechte zum Ankleidezimmer meiner Schwägerin.«

»Und das darüber?«

»Gehört zu Jeannes Zimmer, will sagen, zu dem des Zimmermädchens.«

»Wissen Sie nicht, an welchem Tag das Messer verschwunden ist?«

»Ich wußte, bis Sie hierherkamen, nicht einmal, daß es nicht mehr da ist. In meiner Praxis habe ich nicht oft Gelegenheit, die Seiten eines Buchs aufzuschneiden. Und die Post wird im Haus abgegeben, ich öffne sie meist in meiner Bibliothek.«

»Ich danke Ihnen...«

»Ist das alles?«

»Ja, das ist alles. Ich werde, wenn Sie nichts dagegen haben, durch die kleine Tür hinausgehen.«

Auf der schmalen Treppe drehte er sich um.

»Übrigens, um wieviel Uhr sind Sie heute nacht nach Hause gekommen?«

»Ganz genau kann ich es Ihnen nicht sagen, aber es muß gegen Mitternacht gewesen sein. Francis hatte, als er wegging, das Tablett mit dem Whisky in der Bibliothek gelassen. Ich ging nach unten, um Eis aus dem Kühlschrank zu holen.«

»Haben Sie Ihre Frau noch gesehen?«

»Nein.«

»Haben ihre Mutter und sie sich gar nicht gesehen?«

»Heute morgen, vor der Beerdigung.«

»Waren Sie dabei?«

»Ja.«

Er ließ sich nicht aus der Fassung bringen. Er funktionierte einwandfrei wie eine Maschine, nicht der kleinste Patzer, nicht das geringste Stocken. Nur die Stimme war etwas nervöser, etwas schneidender geworden.

Noch gestern hatten sie ausgesehen wie zwei wohlerzogene Herren, die einander ein wenig Gesellschaft leisten. Nun aber ging es hart auf hart.

»Sie billigen es weiterhin, daß ich Sie aufsuche, Doktor? Denken Sie dran, daß ich, wie Monsieur de Folletier sehr richtig bemerkt hat, hier auf Urlaub bin und keinerlei Befugnis habe, irgend etwas von Ihnen zu fordern. Selbst er, wenn er als Richter auch einen amtlichen Auftrag in Les Sables zu erledigen hat, ist bei Ihnen nur als Freund auf Besuch ...«

»Ich stehe Ihnen weiterhin zur Verfügung.«

Er hatte die Türkette ausgehängt und drückte die Klinke.

»Bis bald, Doktor.«

»Wann immer Sie wünschen.«

Einen Moment lang unschlüssig, als Maigret hinaustrat, reichte ihm der Doktor schließlich doch die Hand, und Maigret schüttelte sie. Der Untersuchungsrichter hingegen tat so, als übersehe er die Hand, die ihm Maigret nun seinerseits hinhielt.

»Auf Wiedersehen, Herr Richter. Für alle Fälle, und damit Sie auch im Bilde sind, möchte ich nur noch erwähnen, daß die kleine Lucile Duffieux gestern gegen halb fünf aus dem Zimmer Madame Bellamys gekommen ist.«

»Ich weiß.«

Maigret, der schon auf dem Gehsteig stand, fuhr zusammen und drehte sich eilig um.

»Mein Freund Philippe hat mich darüber unterrichtet, längst bevor Sie kamen, Herr Kommissar. Guten Abend!«

Die schmale Straße war menschenleer, nichts als kahle Mauern, das geschlossene Tor zur Garage des Doktors und das kleine, weiß gekalkte Gebäude mit dem Wartezimmer im Erdgeschoß und dem Behandlungszimmer im ersten Stock.

Auf einem Messingschild mit dem Namen Dr. Bellamys stand, zu welchen Zeiten Sprechstunde war. Auf einem zweiten Schild wurden die Patienten gebeten, die Klingel zu ziehen und einzutreten.

7

Die Straße draußen am Rand der Stadt, schon halb auf dem Land, sah wieder aus wie immer. Vor der einen oder andern Tür saß ein Alter auf einem Stuhl und rauchte seine Pfeife. Gelegentlich auch hörte man aus einer offenen Tür eine kreischende Stimme, die nach einem Kind rief. Mitten auf der Straße spielten Jungen Ball, während anderswo ein ganz Kleiner ganz allein, nur gerade mit einem blauen Hemd bekleidet, mit dem nackten Hintern auf dem ungepflasterten Gehsteig herumrutschte.

Die Tür zum Haus der Duffieux war geschlossen. Jetzt, da man sie endlich in Ruhe ließ, war es Maigret, der sie wieder aufscheuchen mußte. Er war noch immer verblüfft über die Bemerkung des Richters. Dr. Bellamy hatte also noch vor ihm den Besuch des Mädchens am Vortag erwähnt.

Im Grunde war es logisch, daß er dem Kommissar zuvorkommen wollte, denn der hatte ja das Mädchen gesehen. Welche Erklärung mochte er aber für ihre Anwesenheit im Zimmer seiner Frau vorgebracht haben?

Maigret klopfte an, hörte, wie ein Stuhl auf dem Küchenboden verrückt wurde; dann ging die Tür auf. Vor ihm stand die dicke Frau von heute morgen. Ob sie ihn wiedererkannte? Vielleicht sagte sie sich, da sie im Lauf des Tages so vielen Leuten hatte Auskunft geben müssen, auf einen mehr oder weniger komme es nicht mehr an.

Sie hielt einen Finger vor den Mund und sagte:

»Pst... Sie schläft...«

Maigret trat ein, legte seinen Hut ab und blickte zur Schlafzimmertür, die sie angelehnt gelassen hatte, um es auch sicher zu hören, falls Madame Duffieux, der der Arzt ein Schlafmittel gegeben hatte, rufen sollte.

Warum nur hatte der Kommissar hier das Gefühl – und er hatte es schon am Morgen empfunden –, es sei Winter, obgleich doch August war? Vielleicht ist das einfach so in diesen kleinen Häusern... Es war schon so dunkel, als ob es dämmerte. Im Herd brannte Feuer, und eine Suppe kochte darauf, die einen Lauchgeruch verbreitete. Vielleicht war es auch das knisternde, rotglimmende Feuer, das an den Winter erinnerte.

Duffieux saß mit offenem Hemdkragen in einem Korbsessel, den Kopf nach hinten gekippt, den Mund halb offen. Auch er schlief, und selbst im Schlaf noch behielt sein Gesicht einen Ausdruck der Bestürzung und Verzweiflung.

Wie hatte es die Alte nur fertiggebracht, nach dem endlosen Kommen und Gehen jener Herren gleich wieder alles in Ordnung zu bringen und sauber zu machen? Das ganze Haus roch nach Seife. Als die Frau sich setzte, nahm sie automatisch ihr Strickzeug wieder auf, denn Frauen wie sie haben immer etwas zu tun.

Maigret nahm einen Stuhl und stellte ihn neben den Ofen. Für manche Leute, dachte er, ist der Ofen so etwas wie ein freundlicher Gesellschafter. Mit leiser Stimme fragte er: »Gehören Sie zur Familie?«

»Die Kinder nannten mich Tante«, antwortete sie und zählte dabei weiter ihre Maschen. »Ich bin aber nicht verwandt. Ich wohne drei Häuser nebenan. Wenn Marthe im Wochenbett lag, bin ich ins Haus gekommen. Sie ließ auch immer die Kleine bei mir, wenn sie einkaufen ging. Sie ist nie bei guter Gesundheit gewesen.«

»Weiß man schon, weshalb Lucile gestern zu Dr. Bellamy ging?«

»Sie war beim Doktor?... Davon hat man mir nichts gesagt... Waren Sie nicht mit diesen Herren hier?... Moment mal... Sie sprachen von dem Geld, das sie in der Dose gefunden haben, und von den Lotteriescheinen... Das wird es sein... Gehen Sie ins Zimmer... Meine alten Beine tragen mich nicht mehr... Öffnen Sie den Schrank... Als die Herren gegangen waren, habe ich alles mehr oder weniger wieder an seinen Platz geräumt... Hinten rechts finden Sie eine Blechdose...«

Die Leiche war nicht mehr da. Wie Lili Godreau, würde die kleine Lucile als letzte Grausamkeit noch eine Obduktion über sich ergehen lassen müssen.

Maigret tat, wie ihm die Alte geheißen. Unter den Kleidern, die die Inspektoren sicherlich auf jede Naht untersucht hatten, lag tatsächlich eine alte Zwiebackdose; er brachte sie in die Küche.

Die Frau sah ihm zu, wie er den Deckel öffnete, die Geldscheine und Münzen zählte. War es das Klappern der Geldstücke? Jedenfalls schlug Duffieux die Augen halb auf, aber als er abermals ein fremdes Gesicht bei sich entdeckte, ließ er sie lieber gleich wieder zufallen, um weiterzuschlafen.

In der Dose lagen zweihundertfünfunddreißig Francs, außerdem Lotteriescheine zugunsten des Schulfonds, in Form von Abreißblöcken. Das Los zu einem Franc, der ganze Block kostete fünfundzwanzig.

Die meisten Lose waren einzeln verkauft worden, und auf den Kontrollabschnitten waren die Namen von Leuten aus dem Viertel verzeichnet. Auf ein aus einem Schulheft herausgerissenes Blatt hatte die Kleine mit Bleistift geschrieben:

Malterre: 1 Block
Jongen: 1 Block
Mathis: 1 Block
Bellamy: 1 Block

Die drei ersten Namen waren die von Geschäftsleuten aus der Innenstadt.

Und wieder einmal hatte der Doktor mit einer entwaffnend einfachen Erklärung aufwarten können. Er hatte dem Richter – der ihn ja übrigens nach nichts fragte – nur zu sagen brauchen:

»Meine Frau hat mir, nebenbei bemerkt, erzählt, daß dieses Mädchen gestern nachmittag bei ihr war, um ihr Lotteriescheine zu verkaufen…«

Für Maigret reichte diese Erkärung allerdings nicht aus, da er wußte, daß Madame Bellamy die Kleine erwartet hatte. Er wußte auch, daß sie schon vorher einmal gekommen war und damals Francis ihren Namen genannt hatte.

Er legte das Geld und die Losblöcke wieder in die Dose und diese in den Schrank zurück.

»Wissen Sie, wie ihre Lehrerin heißt, Madame?«

»Madame Jadin ... Sie wohnt in der Nähe des Friedhofs, in einem neuen Haus, das Sie an seinem gelben Anstrich erkennen können ... Die Herren haben die Namen herausgeschrieben, die auf dem Blatt in der Dose standen ... Wahrscheinlich haben sie auch bei Madame Jadin vorbeigeschaut ...«

»Haben sie sich bei Ihnen auch nach Emile erkundigt?«

»Arbeiten Sie nicht mit ihnen zusammen?«

Er wich der Frage aus.

»Ich gehöre nicht zur selben Dienststelle.«

»Sie fragten mich, wo sich der Junge aufhält, und als ich antwortete, er sei in Paris, wollten sie seine Adresse haben ... Ich zeigte ihnen die Ansichtskarte ...«

»Und den Brief?«

»Davon wollten sie nichts wissen.«

»Würden Sie ihn mir zeigen?«

»Nehmen Sie ihn heraus ... Er liegt in der rechten Schublade im Küchenschrank ...«

In seinem Halbschlaf hörte Gérard Duffieux wohl ihr Gespräch wie ein fernes, verschwommenes Geräusch. Von Zeit zu Zeit regte er sich ein wenig, aber todmüde, wie er war, mochte er nicht ganz wach werden.

Die rechte Schublade war so etwas wie der Tresor des Haushalts. Sie enthielt alte Briefe, Rechnungen, Fotografien, eine dicke, verschlissene Brieftasche mit allerlei Dokumenten, den Wehrdienstausweis Duffieux', die Heiratsurkunde und die Geburtsscheine der Kinder.

»Der Brief liegt ganz oben«, erklärte die dicke Frau.

Ein abgestandener Geruch stieg aus der Schublade auf,

in die bald auch Andenken an Lucile und ihr Totenschein wandern würden.

»Gestatten Sie, daß ich ihn lese?«

Und sie, mit einem Blick auf den schlafenden Mann:

»Nach allem, was sie nun durchgemacht haben ...«

Der Brief war auf Geschäftspapier von Larue & Georget geschrieben, der hiesigen Druckerei. Auf dem Weg vom Remblai zum Hafen kam Maigret jeden Morgen an dem Betrieb und seinen Geschäftsräumen vorbei.

»Meine liebe, liebe Mama ...«

Er hatte eine sichere, schnörkellose, gut lesbare Schrift.

Wenn Du wüßtest, wie sehr ich noch im letzten Augenblick den Mut sinken lasse, wenn ich an den Kummer denke, den ich Dir bereiten werde. Bitte lies diesen Brief langsam und ruhig, ganz allein an Deinem gewohnten Platz am Feuer. Ich sehe Dich vor mir! Ich weiß, daß Dir die Tränen kommen werden, und dann wirst Du Deine Brille abnehmen müssen, um sie zu putzen.

Und doch, Mama, widerfährt wohl, was Dir nun widerfährt, allen Eltern. Ich habe viel darüber nachgedacht. Ich habe in Büchern nachgelesen, und ich bin zum Schluß gekommen, es ist ein Naturgesetz.

Ich bin kein Unmensch. Ich bin nicht egoistischer als irgendein anderer. Und ich bin auch nicht gefühllos.

Aber begreif doch, meine arme Mama, daß es mich so danach verlangt, zu leben! Ob Du Verständnis dafür haben kannst, Du, die Du Dein Leben den andern geopfert hast,

Deinem Mann, Deinen Kindern, überhaupt jedem, der Dich brauchte?

Ich muß leben, und ein wenig ist das auch Deine Schuld. Du warst es, die die ersten Ambitionen in mir weckte, indem Du Dich einschränktest, um mir eine gute Schulbildung zu ermöglichen. Anstatt mich in eine Lehre zu schicken wie alle Jungen aus unseren Kreisen, wolltest Du, daß ich die höhere Schule besuche, und Du warst stolz darauf, wenn ich die besten Noten nach Hause brachte.

Zur Umkehr ist es nun zu spät. Ich ersticke in unserer kleinen Stadt, denn ein Junge wie ich hat hier keinerlei Zukunftsaussichten.

Als ich bei Larue & Georget eintrat, dachtest Du, ich hätte nun für mein Leben ausgesorgt; aber Deine Freude tat mir weh.

›Nun bist du untergebracht‹, sagtest Du.

Ich jedoch hatte schon ein anderes Leben ins Auge gefaßt. Als man mich kleine Beiträge für die Zeitung schreiben ließ, zeigtest Du sie stolz in der Nachbarschaft herum, und als endlich eine Pariser Zeitung, deren Chefredakteur nicht wußte, wie jung ich war, mich zu ihrem Korrespondenten in Les Sables ernannte, warst Du vor Freude außer dir.

Du stelltest Dir vor, ich würde hier heiraten. Du sahst mich schon ein kleines, rosarotes Haus in einem der neuen Viertel kaufen.

Das alles tut mir heute so weh, daß ich kaum mehr die Worte finde, um Dir zu sagen, wozu ich mich entschlossen habe.

Einige Stunden noch, meine arme Mama, dann werde ich fort sein. Ich brachte den Mut nicht auf, es Dir zu sagen, sowenig wie ich mit Papa darüber zu sprechen wagte. Er, glaube ich, wird es sofort verstehen, denn bevor er seinen Arm verlor, hatte er auch große Pläne.

Ich nehme heute abend den Zug nach Paris. Dank den Beziehungen, die ich durch die Zeitung habe, fand ich eine zwar noch bescheidene Stellung; damit habe ich aber jedenfalls einen Fuß im Steigbügel. Ich habe niemandem auch nur ein Sterbenswörtchen darüber gesagt, nicht einmal meinen Arbeitgebern. Aber Du brauchst Dir keine Sorgen zu machen. Ich hinterlasse meine Angelegenheiten in Ordnung.

Die einzige, die Bescheid weiß, ist Lucile, denn ich brauchte jemanden, dem ich mich anvertrauen konnte. Sie ist ein gutes Mädchen, und Du kannst Dich auf sie verlassen. Sie liebt Euch beide sehr, und ich hoffe, daß sie Euch allmählich vergessen helfen wird, daß ich nicht mehr da bin.

Ich wollte Dich wenigstens noch fest umarmen, bevor ich weggehe. Ich habe es getan, und Du wirst Dich gefragt haben, warum ich Dich so lange an mich gedrückt hielt.

Wenn wir uns voneinander verabschiedet hätten, hätte mich der Mut verlassen.

Ich hoffe, meine Lage entwickelt sich so, daß ich Euch bald wieder unter die Arme greifen kann. Bitte sei mir nicht böse, wenn ich in der ersten Zeit nichts schicke.

Innerhalb weniger Monate bin ich viel älter geworden. Ihr habt das nicht bemerkt. Die Eltern betrachten ihre Söhne immer als Kinder, selbst wenn sie längst erwachsen sind.

Und ich bin nun erwachsen. Ich werde, sag das Vater, versuchen, mich wie ein Mann zu verhalten. Und wenn ich

Euch eines Tages Kummer bereiten sollte, dann denk daran, daß es nicht durch meine Schuld sein wird. Nur das Leben wird dann stärker gewesen sein.

Sobald ich etwas Neues zu berichten habe, werde ich Euch schreiben. Ich werde Dir eine Adresse geben, damit Du mir umgekehrt auch schreiben kannst. Diesen Brief erhältst Du morgen früh, und bis dahin wirst Du dir keine Sorgen machen, da ich Dir gesagt habe, ich arbeite die Nacht durch im Betrieb. Ich werfe den Umschlag am Bahnhof ein, bevor ich in den Zug steige. Die Fahrkarte habe ich bereits.

Ich werde mein Glück versuchen, Mama, wie so viele andere es vor mir getan haben und weiterhin tagtäglich tun. Ich habe Dich manchmal sagen hören, jene, die sich so davonmachten, würden nicht viel taugen. Glaub mir, wenn ich Dir sage, es sind die Besten.

Und wünsche mir trotz allem viel Glück. Bete von Zeit zu Zeit für Deinen Sohn, der sein Schicksal sucht.

Laß Papa ausschlafen, bevor Du ihn in Kenntnis setzt. Ich bin mir bewußt, daß Du schwächer bist als er und immer gekränkelt hast, aber seit einigen Monaten habe ich den Verdacht, er sei herzkrank und wolle uns nichts davon sagen.

Nun bleibt Euch immer noch Lucile.

Umarme sie auch für mich. Seid alle drei glücklich. Ich werde versuchen, es meinerseits zu sein, und wenn wir uns wiedersehen, werdet Ihr hoffentlich Anlaß haben, stolz auf mich zu sein.

Leb wohl, liebe Mama.

Dein Sohn

Emile

Maigret nahm die Ansichtskarte, auf der die Place de la Concorde abgebildet war. Auf der Rückseite standen nur einige wenige Worte, in nervöserer Schrift.

Gut angekommen. Du kannst mir postlagernd schreiben, Paris 26. Ich umarme Euch alle drei. *Emile*

Soweit sich Maigret erinnern konnte, befand sich das Postamt 26 im Faubourg Saint-Denis in der Nähe der Grands Boulevards.

»Hat man ihm ein Telegramm geschickt?«

»Ja, aber erst gegen Mittag.«

»Er hat noch nicht geantwortet?«

»Glauben Sie, daß er das Telegramm schon erhalten hat?... Wenn er käme, das wäre wenigstens ein Trost...«

Und mit einem Seufzer blickte sie auf den Mann mit dem leeren Ärmel, der wieder tief schlief, so daß sein Atem den ergrauenden Schnurrbart erzittern ließ.

»Bleiben Sie heute nacht bei ihnen?«

»Sie können beruhigt sein. Ich habe schon meinen Neffen geschickt, um das Nötigste zu holen.«

Sie würde sich nicht hinlegen, denn sie würde es nicht wagen, im Zimmer zu schlafen, in dem Lucile erdrosselt wurde. Sie würde nach Madame Duffieux schauen. Ob aber der Mann wie sonst jede Nacht auf die Werft gehen würde?

Er stellte lieber keine Fragen mehr. Langsam faltete er den Brief zusammen und legte ihn wieder an seinen Platz. Er hätte ihn gern mitgenommen, aber er war sich darüber im klaren, daß ihm das nicht gestattet würde.

Im Schlafzimmer begann Madame Duffieux zu wimmern wie ein Kind, und die dicke Frau erhob sich mühsam.

»Entschuldigen Sie bitte…«, brachte Maigret hervor. »Aber ich mußte kommen…«

Sie gab ihm zu verstehen, er solle schweigen, und während er hinausging, begab sie sich auf Zehenspitzen ins Zimmer der Kranken.

In einer Ecke stand ein Klavier, auf dem Tisch aus Eichenholz lag eine bestickte Decke, und an den Wänden hingen Fotos von Kindern in Reih und Glied: Das waren die Klassenbilder, auf denen Jahr für Jahr die Schülerinnen Madame Jadins abgelichtet wurden.

»Einer Ihrer Kollegen war schon hier, um mich auszufragen, Herr Kommissar, ein Großer mit einer Narbe im Gesicht…«

Das war Piéchaud, der verstand sein Geschäft.

»Es gibt tatsächlich eine Tombola zugunsten des Schulfonds… Die Schülerinnen haben sich um den Verkauf der Lose gekümmert… Sie durften sich an Geschäftsleute und überhaupt an alle, die sie kennen, wenden… Lucile hatte wie alle andern ihre Lose… Montag früh sollten die Kinder die nicht verkauften Scheine und die Kontrollabschnitte zurückbringen…«

»Hatte nicht jede Schülerin ein bestimmtes Viertel oder eine bestimmte Straße zugewiesen bekommen?«

»Nein, sie waren darin frei…«

»Erzählen Sie mir bitte etwas über Lucile…«

Madame Jadin war klein und dunkelhaarig. Vor der

Klasse setzte sie sicher, weil sich das so gehört, eine strenge Miene auf, aber in ihrem Blick lag eine große Güte.

»Ihr Inspektor hat mir Fragen gestellt, die mich, ich muß es gestehen, etwas entrüstet haben, und er wird Ihnen sicher sagen, ich hätte ihn ziemlich unfreundlich empfangen. Sie scheinen mir mehr Verständnis zu haben. Er wollte unbedingt wissen, ob Lucile mit Jungen verkehrte, ob sie schon sexuelle Erfahrungen hatte und so weiter. Bedenken Sie, sie war noch keine vierzehn Jahre alt! Man schätzte sie älter, weil sie groß und ernst war, vielleicht etwas zu versonnen für ihr Alter... Es kommt vor, und ich will es nicht bestreiten, daß frühreife Schülerinnen sich auf der Straße mit Jungen treffen, besonders im Winter, wenn es früh dunkel wird, und einige – aber das sind Ausnahmefälle – lassen sich auch mit Männern ein...«

»War Lucile brav?«

»Ich nannte sie das Mütterchen, weil sie sich in den Pausen, anstatt mit den Großen zu spielen, lieber mit den Knirpsen aus dem Kindergarten abgab... Einmal habe ich zufällig gehört, wie sie einer ihrer Freundinnen, die gerade einen kleinen Bruder bekommen hatte, mit schwerem Herzen sagte: ›Meine Mutter kann, glaube ich, keine Kinder mehr bekommen...‹

Es gibt mehr Mädchen, als man annimmt, und besonders unter den Armen, Herr Kommissar, die mit vierzehn schon richtige Frauen sind...«

»Ich nehme an, da Ferien sind, haben Sie sie in letzter Zeit nicht gesehen?«

»Doch, mehrmals. Damit sich die Kinder um diese Jahreszeit nämlich nicht auf der Straße herumtreiben, bieten wir den Eltern an, sie uns zu überlassen, und dann organisieren wir Spiele oder gehen alle zusammen an den Strand oder in den Wald...«

»Ist Ihnen keine Veränderung an Lucile aufgefallen?«

»Ich habe bemerkt, daß sie unruhig war, und sie nach dem Grund gefragt. Ich weiß nicht, ob es in den Knabenklassen auch so ist, aber bei uns hat jede ihren kleinen Liebling... Lucile war vielleicht ein wenig mein Liebling... Während der Schulzeit in den Pausen, und auch wenn wir in den Ferien im Wald waren, kam sie oft, anstatt bei ihren Spielgefährtinnen zu bleiben, zu mir, um ein wenig zu plaudern...

Ich erinnere mich, sie gefragt zu haben, ob es stimme, daß ihr Bruder fortgegangen sei...«

»Das kann nicht länger als einige Tage hersein?«

»Vor drei Tagen... Ich hatte es von andern Kindern erfahren... Anstatt mir wie sonst üblich ganz offen zu antworten und mir dabei in die Augen zu schauen, drehte sie den Kopf weg und bejahte schroff.

›Das macht deiner Mama sicher großen Kummer?‹

›Ich weiß nicht.‹

Ich habe nicht weitergebohrt, weil ich spürte, wie abweisend und angespannt sie war.

Mehr kann ich Ihnen nicht sagen, Herr Kommissar...«

»Geben Sie Klavierstunden?«

»Nur einige Privatstunden.«

»Nahm Lucile Unterricht bei Ihnen?«

Madame Jadin schüttelte leicht verlegen den Kopf. Das sollte wohl heißen, daß sich die Eltern keinen solchen Luxus für ihre Tochter leisten konnten.

Als Maigret in die Rue Saint-Charles kam, in der sich die Firma Larue & Georget befand, hatten die Arbeiter gerade Feierabend. Er ging durch den gepflasterten Hof um einen Lieferwagen herum und stieß eine Glastür auf, über der das Wort ›Büro‹ stand.

Eine Sekretärin war eben im Begriff, ihren Hut aufzusetzen.

»Ist Monsieur Larue hier?« fragte er.

»Monsieur Larue ist vor zwei Monaten gestorben.«

»Entschuldigen Sie. Kann ich dann vielleicht mit Monsieur Georget sprechen?«

Dieser hielt sich im Raum nebenan auf und mußte ihn gehört haben, denn er rief mit lauter Stimme:

»Lassen Sie ihn herein, Mademoiselle Berthe.«

Er war damit beschäftigt, die Druckfahnen für seine Zeitung durchzusehen; ein kleiner Herr, der keine großen Umstände machte. Das *Echo des Sables* erschien nur einmal wöchentlich und enthielt vier Seiten, vorwiegend Lokalnachrichten und Anzeigen, insbesondere Bekanntmachungen der Notare.

»Nehmen Sie Platz, Herr Kommissar. Wundern Sie sich nicht darüber, daß ich Sie kenne. Ich bin ein alter Freund Kommissar Mansuys, und er hat mir von Ihnen erzählt. Ich sehe Sie jeden Morgen auf der Straße vorübergehen. Ich ahnte schon, daß Sie mich aufsuchen würden.«

Wie Maigret erwartet hatte, fügte er hinzu:

»Einer Ihrer Kollegen war eben da, mit Namen... Moment...«

»Boivert...«

»Richtig! Ehrlich gesagt, ich hatte ihm nicht viel mitzuteilen. Stimmt es, daß Sie Ihrerseits in der Sache ermitteln?«

»Hat Ihnen das Boivert gesagt?«

»Nicht doch!... Ein Gerücht, das in der Stadt umgeht... Sehen Sie, ich war heute morgen bei der Beerdigung, denn Dr. Bellamy gehört zu meinen Kunden... Mindestens zwei Leute haben mir dasselbe erzählt... Stets unter Hinzufügung, daß Sie Ihre eigenen Vorstellungen hätten, daß die Beamten aus Poitiers nicht Ihrer Ansicht wären und daß Sie noch eine Überraschung für uns auf Lager hätten...«

»Es wird viel zuviel geredet«, knurrte Maigret ungeduldig.

»Soll ich Ihnen sagen, was ich über Emile Duffieux weiß?«

Maigret nickte, schien dann aber doch nur mit einem Ohr zuzuhören.

»Er ist nun bereits der zweite Junge dieser Art, den ich eingestellt und dem ich, wenn ich so sagen darf, den nötigen Schliff gegeben habe... Er ist auch der zweite, der mir durchgebrannt ist... Wohlbemerkt, ich bin ihnen nicht böse... Der erste ist jetzt Journalist in Rennes, und ich lese seine Artikel jeden Morgen im *Ouest-Eclair*. Was Emile betrifft... Früher oder später werden wir sehen, was in ihm steckt, nicht wahr?«

»Hoffentlich...«

Monsieur Georget fuhr zusammen, so ernst war die Stimme, mit der dieses Wort ausgesprochen worden war.

»Auf jeden Fall, Herr Kommissar, ist er ein anständiger Junge, und sein einziger Fehler ist vielleicht, daß er etwas mißtrauisch ist... Das ist nicht das richtige Wort... Er neigt dazu, sich abzukapseln... Als sei er immer auf ein spöttisches Lächeln oder auf eine Abfuhr gefaßt oder befürchte auch einfach, von oben herab behandelt zu werden... Seine Herkunft, die Armut seiner Eltern lastet schwer auf ihm, aber nicht, daß er sich ihrer schämen würde... Er macht sich nichts daraus, wenn ihn jemand nach dem Beruf seines Vaters fragt, zu antworten: ›Nachtwächter‹.

Ohne noch lange zu betonen, daß Duffieux diese Stellung erst annahm, nachdem ihm der rechte Arm amputiert worden war...

Ich weiß nicht, ob ich mich Ihnen verständlich mache... Er will um jeden Preis etwas erreichen... Und dafür wird er soviel wie nötig schuften... Er hat eine Unmenge Bücher gelesen, mehr oder weniger wahllos... Phasenweise läßt er den Mut sinken, dann traut er sich wieder alles zu...«

»Frauen?...« fragte Maigret.

Der Unternehmer machte ein Zeichen zum Nebenzimmer hin.

»Ob sie schon gegangen ist?« fragte er leise, auf die Sekretärin anspielend.

Sicherheitshalber ging er selbst nachsehen.

»Sie haben sie gesehen, Mademoiselle Berthe ist hübsch, sehr anziehend. Meine Angestellten haben ihr einer nach dem andern den Hof gemacht. In Wirklichkeit ist sie in Emile Duffieux verliebt, und zwar so sehr, daß sie ganz wild wird, wenn jemand das Pech hat, in ihrer Gegenwart ein Wort gegen ihn zu sagen. Sie hat alles getan, um seine Aufmerksamkeit auf sich zu lenken. Sie ist richtig kokett geworden. Erschien alle zwei Tage in einem neuen Kleid. Ich möchte wissen, ob er es überhaupt bemerkt hat. Er hat sich ein Ziel gesetzt. Ich war immer darauf gefaßt, daß er eines Tages nach Nantes oder Bordeaux geht, wie die meisten unserer Jungen, die ein wenig Ehrgeiz haben. Er jedoch ging schnurstracks nach Paris.«

»Hat er mit Ihnen darüber gesprochen?«

»Nein, er schrieb einen Brief.«

»Den Sie am Tag nach seiner Abreise erhielten?«

»Genau ... Wie seine Eltern ... Man möchte fast meinen, er hätte Angst gehabt, jemand würde ihm im letzten Augenblick einen Knüppel zwischen die Beine werfen ... Überflüssig zu sagen, daß er keinerlei Schulden hinterlassen hat ... Wenn Sie den Brief lesen möchten ...«

Maigret überflog ihn nur. Emile bat darin höflich um Verzeihung und bedankte sich ebenso höflich für alles, was sein Chef für ihn getan hatte.

»Hat seine Schwester ihn nie im Büro besucht?«

»Ich könnte mich nicht erinnern ... Im übrigen hielt sich Duffieux nur selten hier auf ... Wenigstens in letzter Zeit ... Er arbeitete hauptsächlich für die Zeitung, sowohl für den redaktionellen als auch für den Anzeigenteil, denn in einer kleinen Firma wie der unsern muß man überall Hand anlegen ...«

»Können Sie mir so genau wie möglich sagen, wie seine Arbeitstage verliefen?«

»Er kam gegen neun Uhr, manchmal auch früher, denn er scheute die Arbeit nicht ... Meistens blieb er bis halb elf im Büro ... Dann ging er aufs Polizeirevier, um sich über das neueste Geschehen zu informieren, anschließend zum

Rathaus und zur Unterpräfektur ... Manchmal schaute er vor Mittag noch kurz hier vorbei, manchmal kam er auch erst nach dem Essen wieder. Am Nachmittag schrieb er seine Artikel, ging in die Druckerei, kümmerte sich um den Umbruch ... Er erledigte auch einige Besorgungen, rief die Notare und Makler an sowie die Kinobesitzer, deren Plakate wir drucken ...

Was ich Ihnen hier schildere, ist ein normaler Tag ... Am Freitag, bevor die Zeitung herauskommt, blieb er oft bis neun Uhr abends hier bei mir ...«

Das Leben eines kleinen Provinzreporters, alles in allem.

»Er war also«, faßte Maigret zusammen, »vor allem morgens unterwegs. Wissen Sie, ob er private Anrufe erhielt?«

»Es kommt darauf an, was Sie unter privat verstehen. Mir war bekannt, daß er als Korrespondent für eine Pariser Zeitung arbeitete. Er hatte mich um Erlaubnis gebeten, diesen Posten anzunehmen. Zeitlich wurde er dadurch kaum beansprucht, da er nur die Informationen weitergab, die wir schon hatten ... Ich hatte ihm gestattet, eine unserer Fernsprechleitungen zu benutzen; er schrieb seine Gespräche auf, und der Buchhalter zog sie ihm jeweils Ende des Monats von seinem Gehalt ab ... Ein wirklich privates Gespräch, mit einem Freund zum Beispiel, habe ich nie zu hören bekommen ...«

»Ich danke Ihnen.«

»Hat man ihn noch nicht erreicht in Paris?«

»Er hat seinen Eltern nur eine postlagernde Anschrift gegeben.«

»Das kann natürlich ein bis zwei Tage dauern...«

Womit ihn der Drucker, ohne es zu ahnen, auf eine Idee gebracht hatte. Zurück im Hotel, rief Maigret sofort die Pariser Kriminalpolizei an.

»Hallo?... Ist Lucas am Apparat?... Mit wem spreche ich?... Torrence?... Hier Maigret... Immer noch in den Ferien, ja... Wie?... Ob das Wetter schön sei?... Keine Ahnung... Ich kann mal nachsehen... Die Sonne scheint nicht, aber es regnet auch nicht... Ist Janvier noch im Hause?... Verbinde mich bitte... Gut, danke... Hallo, bist du es, Janvier?... Nicht zu viel zu tun?... Das Übliche?... Gut... Kannst du etwas für mich erledigen?... Ich möchte, daß du zum Postamt 26 gehst... Das ist doch Faubourg Saint-Denis?... Ja, ich weiß... Frag am Schalter für postlagernde Sendungen, ob Briefe auf den Namen Emile Duffieux... Nein, mit zwei f... F wie Ferdinand... Warte!... Versuche vor allem zu erfahren, ob er schon dort gewesen ist, um seine Briefe abzuholen... Ja... Und wann... Wenn er noch nicht dort war, bitte den Beamten, dich anzurufen, sobald er kommt... Er soll ihn unter irgendeinem Vorwand ein paar Minuten hinhalten, und du nimmst dann gleich ein Taxi... Daß ja nichts schiefläuft... Frag ihn einfach nach seiner Adresse... Geh ihm notfalls nach...

Häng noch nicht auf... Nachher klopfst du mal bei der Fremdenpolizei an... Sieh die Anmeldungen der letzten Tage durch... Besonders die vom 31. Juli und vom 1. August... Auf denselben Namen...

Das wär's... Nein, es ist nichts Wichtiges... Ein kleiner Gefallen, den du mir tun kannst...

Danke, mein Lieber... Richtig... Sie erholt sich, ja... Grüß Marie-France von mir...«

»Die Herren sind schon bei Tisch...«, flüsterte Monsieur Léonard, der mit einer Flasche in der Hand hinter dem Kommissar stand.

»Sollen sie ruhig...«

»Sie werden doch ein...«

Na wenn schon! Das mußte wohl sein, um dem guten Mann keinen Kummer zu machen.

»Ich habe zwei Zimmer für sie gefunden, nicht im gleichen Hotel allerdings. Sie sind nicht zufrieden, aber was kann ich dafür? Auf Ihr Wohl...«

»Auf das Ihre, Monsieur Léonard...«

»Glauben Sie, man kriegt den Schurken zu fassen, der die Kleine umgebracht hat?«

Es war acht Uhr abends. Das Licht brannte schon. Die beiden Männer waren im hinteren Raum, zwischen der Küche und dem Saal. Hinter ihnen gingen unablässig die Kellnerinnen mit ihren Tabletts ein und aus.

Waren es die Worte Monsieur Léonards, die Maigret plötzlich nachdenklich stimmten? Er legte die Stirn in Falten.

»Wollen Sie nichts essen?«

»Nicht jetzt...«

Er war nahe daran, auf sein Zimmer zu gehen und etwas zu tun, was er nur ganz selten tat, und nur in besonders schwerwiegenden Fällen.

Die beklemmende Angst fiel ihm wieder ein, die er am Vorabend empfunden hatte, als er vergeblich herauszufinden versucht hatte, wer das Mädchen auf der Treppe beim

Doktor war. Die Leute, die er um Auskunft gebeten hatte – selbst Mansuy, selbst die wachhabende Polizei –, hatten ihn nur verwundert angesehen. Und doch wäre Lucile jetzt noch am Leben, hätte er nur ihren Namen, ihre Adresse erfahren.

Aber vielleicht lag er völlig falsch. Falls er sich jedoch nicht irrte, waren noch andere Leute in Gefahr, und zunächst er selber. Das war der Grund, weshalb er beinahe auf sein Zimmer gegangen wäre: um seinen Verdacht schriftlich festzuhalten.

»Gehen Sie nochmal weg?«

»Bloß für eine Stunde. Heben Sie mir etwas zum Essen auf...«

Er würde später, vor dem Schlafengehen, in aller Ruhe seinen kleinen Bericht schreiben. Nun ging er zum Bahnhof. Hatte Emile Duffieux im Brief an seine Mutter nicht geschrieben, er habe seine Fahrkarte im voraus gelöst?

Die Halle war beinahe leer und spärlich beleuchtet. Auf den Gleisen stand nur ein Vorortzug mit altertümlichen Waggons. Der Mann hinter dem Schalter trug die Mütze des stellvertretenden Vorstehers.

»Guten Abend, Herr Kommissar...«

Man kannte ihn entschieden zu gut.

»Ich hätte gern eine Auskunft von Ihnen. Kennen Sie den jungen Duffieux?«

»Monsieur Emile?... Aber sicher kenne ich den... Immer wenn hier wichtige Leute ankamen, erschien er als Reporter... Ich ließ ihn auf den Bahnsteig vor...«

»Dann können Sie mir vielleicht sagen, ob er Ende letzten Monats hier eine Fahrkarte nach Paris gelöst hat?«

»Ich kann Ihre Frage um so besser beantworten, als ich ihm selbst die Fahrkarten verkauft habe.«

»Die Mehrzahl fiel Maigret sofort auf.

»Sie haben ihm mehrere Fahrkarten verkauft?«

»Zwei, zweiter Klasse...«

»Rückfahrkarten?«

»Nein, einfache...«

»Um wieviel Uhr kam er sie holen?«

»Vormittags kurz vor zwölf Uhr... Er wollte den Spätzug nehmen, den um zweiundzwanzig Uhr zweiundfünfzig...«

»Wissen Sie, ob er diesen Zug genommen hat?«

»Ich nehme es an... Ich habe in Kürze Feierabend... Dann übernimmt der Kollege von der Nachtschicht den Dienst...«

»Ist er schon da?«

»Vermutlich... Kommen Sie ins Büro...«

Sie gingen über den Bahnsteig und betraten ein Büro, wo ein Fernschreiber tickte.

»Hör mal, Alfred... Das hier ist Kommissar Maigret, von dem du schon gehört hast...«

»Sehr erfreut...«

»Er möchte gern wissen, ob der junge Duffieux irgendwann Ende Juli auf den 163er gestiegen ist... Ich habe ihm an einem Vormittag zwei zweiter Klasse Paris einfach verkauft... Er hatte vor, um 22.52 zu fahren...«

»Ich kann mich nicht erinnern...«

»Glauben Sie, Sie hätten ihn gesehen, wenn er diesen Zug genommen hätte?«

»Beschwören möchte ich es nicht... Manchmal wird

man im letzten Augenblick ans Telefon oder zum Gepäckwagen gerufen ... Es würde mich aber doch wundern, wenn ich ihn nicht bemerkt hätte ...«

»Ist es möglich, nachzuprüfen, ob die Fahrkarten benutzt worden sind?«

»Im Prinzip schon ... Man braucht sich nur in Paris zu erkundigen ... Die Reisenden müssen ja bekanntlich am Ausgang ihre Fahrkarten abgeben ... Aber manche steigen schon zwischendurch an einem Bahnhof aus ... Und andere vergessen es im Gedränge ... Das kommt allerdings selten vor ... Es ist gegen die Vorschriften ... Aber man muß die Möglichkeit einkalkulieren ...«

Er überlegte einen Augenblick, murmelte dann:

»Etwas kommt mir komisch vor ...«

Er sah seinen Kollegen an, als müßte auch diesem etwas Merkwürdiges aufgefallen sein.

»Emile Duffieux hat öfter den Zug genommen, einmal nach Nantes, einmal nach La Roche oder nach La Rochelle ... Und jedesmal hatte er eine Freikarte ...«

Und zur Erläuterung für Maigret:

»Die Journalisten haben Anspruch auf Freikarten erster Klasse. Sie brauchen sie nur bei ihrer Zeitung zu beantragen. Für ihn hätte sich die Mühe diesmal um so mehr gelohnt, als es sich um eine lange Strecke handelte. Ich frage mich, weshalb er zweiter bezahlte, wo er doch kostenlos erster Klasse hätte fahren können ...«

»Er war nicht allein ...«, bemerkte Maigret.

»Natürlich ... Es war sicher eine Frau ... Aber in solchen Fällen, müssen Sie wissen, sind die Herren von der Presse nicht besonders knausrig ...«

Wieder auf der Straße, kam Maigret etwas später am Laden Popines vorbei; die Läden waren geschlossen, aber er sah Licht unter der Haustür. Es war noch zu früh. Francis war sicherlich noch damit beschäftigt, im Hause des Doktors das Abendessen zu servieren.

Er ging durch die engen, schlecht beleuchteten Gassen weiter, und sooft er Schritte hinter sich hörte, zuckte er zusammen.

Wenn er sich nicht täuschte – wenn es sich so abgespielt hatte, wie er es nun Stück für Stück, wenn auch noch lückenhaft, nachvollzogen hatte, mußte man dann nicht damit rechnen, daß weitere Opfer – mindestens eines – zu Lili Godreau und der kleinen Lucile hinzukämen?

Er machte plötzlich kehrt und betrat das ›Hôtel de Vendée‹.

»Hält sich Madame Godreau noch hier auf?« fragte er die Besitzerin, die selbst im Büro saß, schwarz gekleidet, mit einer großen Kamee an der Seidenbluse.

»Sie vergessen, Herr Kommissar...«

Es machte ihn allmählich rasend, daß er überall erkannt wurde.

»Sie vergessen, daß sie nicht mehr Madame Godreau heißt, sondern Madame Esteva... Sie ist in Begleitung Monsieur Estevas mit dem Zug um halb sechs abgereist...«

»Soviel ich weiß«, fügte er übelgelaunt hinzu, denn er kannte die Antwort im voraus, »hat sie gestern abend Besuch von ihrem Schwiegersohn erhalten?«

»Das ist richtig... Sie waren sogar die letzten, die im kleinen Salon saßen...«

»War Monsieur Esteva dabei?«

»Ich glaube, wenn ich auch nicht ganz sicher bin, Monsieur Esteva ist als erster hinaufgegangen.«

»Haben Sie vielen Dank...«

So tat er von früh bis spät nichts anderes, als sich zu bedanken.

Jemand war in Gefahr, mindestens ein Mensch, oder er hatte sich von Anfang an völlig geirrt.

Nur leider wußte er über diesen Menschen nichts, nicht einmal, ob es ein Mann oder eine Frau war, und schon gar nicht, wie alt er war oder welchen Beruf er ausübte.

Er wußte nur, daß es ihn gab, daß er in der Stadt, vermutlich in der Innenstadt lebte, in einem Umkreis, den er auf dem Stadtplan ziemlich genau hätte abstecken können.

Es gab keine Möglichkeit, heute abend noch etwas zu unternehmen. Er mußte den nächsten Tag abwarten, warten, bis die Geschäfte und Cafés wieder geöffnet waren.

Dann würde er sich auf die Fährte machen, mit seiner fixen Idee als einzigem Leitfaden, bei jeder Gelegenheit sein ewiges »Haben Sie vielen Dank« auf den Lippen.

Falls überhaupt noch Gelegenheit, falls überhaupt noch Zeit dazu sein würde!

Die beiden Inspektoren hatten ihr Abendessen beendet, jeder eine Zigarette in der Hand und einen Cognac vor sich, als sich der Kommissar in dem beinahe leeren Speisesaal zu ihnen setzte.

»Nun, Chef?«

Worauf er, einen widerlichen, schalen Geschmack im Munde, wie nach einer langen Eisenbahnreise, barscher denn je knurrte:

»Verdammt!«

8

Die Tür – vielleicht die hundertste an diesem Vormittag –, die Maigret um elf Uhr aufstieß, gehörte zu einem Lederwarengeschäft. Um acht Uhr, als die etwas größeren oder eleganteren Geschäfte noch geschlossen waren, war er losmarschiert; hatte zunächst die Läden abgeklopft, deren Kundschaft sich auf Frauen aus der Nachbarschaft beschränkte. Von draußen sah man ihn, wie er, eine riesenhaft wirkende Gestalt, mit dem Kopf an die Besen und Schwämme stieß, die von der Decke hingen, und mit verdrießlicher Miene die barhäuptigen Frauen um ihn herum musterte, bis er an die Reihe kam. Nach dem vierten oder fünften Mal hätte man von draußen auch leicht erkennen können, daß seine Lippen jedesmal dieselben Worte formten.

Mit dem Unterschied, daß er ganz am Anfang noch geglaubt hatte, etwas kaufen zu müssen. In den Kneipen war es einfach: Dort trank er einen Schluck Weißen. In einem Kolonialwarengeschäft hatte er eine Tüte Pfeffer gekauft, weil er dachte, es stünden ihm noch eine Menge anderer Geschäfte bevor und er tue besser daran, sich nicht mit großen und schweren Paketen zu beladen.

In einem Kurzwarengeschäft mit staubigen Scheiben, wo er eine Rolle Garn kaufte, hatte ihn das alte Fräulein, das so schrecklich muffig roch und Haare unter dem Kinn hatte, schief angesehen.

»Kennen Sie Madame Bellamy?«

»Die alte oder die junge?«

»Die junge.«

»Ich kenne sie, so wie jeder sie kennt.«

»Kommt es vor, daß Sie sie auf der Straße vorbeigehen sehen?«

Das waren die ewig gleichen Fragen, die er unermüdlich stellte.

»Hören Sie, mein Herr. Ich habe genug zu tun, um mich nicht um das zu kümmern, was sich auf der Straße tut. Und wenn ich Ihnen einen guten Rat geben darf, dann machen Sie es so wie ich.«

In der Annahme, er meine die alte Madame Bellamy, verzogen die meisten das Gesicht. Popine hatte recht: Die alte Dame mit dem Stock war bei den Geschäftsleuten der Stadt nicht eben beliebt.

Um es kurz zu machen, war er daher zu der Frage übergegangen:

»Kennen Sie die Frau von Dr. Bellamy?«

Und er war davon abgekommen, etwas zu kaufen. Entweder kannten ihn die Leute schon vom Sehen, oder sie hielten ihn ohnehin für einen Polizisten.

Er hatte seinen Rundgang im Norden der Stadt aufgenommen, anders gesagt im Hafenviertel, in den Straßen, durch die auch Madame Bellamy hätte kommen können, um zum Beispiel zum Fischmarkt oder in dessen Umgebung zu gehen.

»Natürlich kenne ich sie. Seinerzeit habe ich sie oft gesehen. Sie ist ja eine ausgesprochene Schönheit. Ich sehe sie jetzt noch gelegentlich im Wagen mit ihrem Mann vorbeifahren...«

»Zu Fuß haben Sie sie aber nicht mehr gesehen?«

Dann wandten sich die Männer an ihre Frauen, die Frauen an ihre Männer:

»Siehst du sie manchmal noch vorbeigehen?«

Ein Kopfschütteln. In diesem Viertel war Odette Bellamy nicht anzutreffen, und ebensowenig in dem von Notre-Dame und im Stadtzentrum.

»Entschuldigen Sie, Madame, kennen Sie die Frau von Dr. Bellamy?«

Er hielt sich nicht nur an die Ladenbesitzer, sondern fragte auch irgendwelche Frauen, die vor ihrer Haustür standen, und sogar einen alten Invaliden, der wahrscheinlich den ganzen Tag am offenen Fenster sitzend verbrachte. Es war eine widerwärtige Arbeit, langweilig dazu, und er schämte sich ein wenig, sie zu tun. Er konnte sich unschwer vorstellen, was hinter seinem Rücken getuschelt wurde.

Um zehn Uhr hatte er so den größten Teil der Gegend um Bellamys Haus abgeklopft. Wenn es überhaupt vorkam, daß Odette Bellamy allein zu Fuß ausging, dann konnte sie nur den Remblai entlanggehen.

Er ging dorthin zurück. Hier waren fast alle Geschäfte von der feineren Art.

»Entschuldigen Sie, Madame, kennen Sie...«

Und endlich wurde er für seine Mühe belohnt. Es fing an in der Konditorei, ganz in der Nähe des großen weißen Hauses.

»Seit sie verheiratet ist, geht sie nicht oft aus. Ich sehe sie aber doch manchmal vormittags...«

Die brave Frau mit ihren rosigen Pausbacken konnte nicht ahnen, wie sie damit Maigrets Herz höher schlagen ließ.

»Vielleicht um ihren Hund spazierenzuführen?«

»Hat sie einen Hund? Den habe ich noch nie gesehen. Es würde mich wundern, wenn es im Haus des Doktors einen Hund gäbe.«

»Weshalb?«

»Ich weiß nicht. Das würde nicht zu ihm passen. Nein, ich nehme an, daß sie einkaufen geht. Meistens trägt sie ein Kostüm. Sie geht ziemlich schnell...«

»Um wieviel Uhr kommt sie denn vorbei?«

»Ach, wissen Sie, nicht daß sie jeden Tag käme. Sie kommt nicht einmal oft... Ich sehe sie, weil ich um die Zeit meistens gerade dabei bin, das Schaufenster zu richten... Gegen zehn Uhr... Es kommt auch vor, daß ich sie auf dem Rückweg sehe...«

»Viel später?«

»Vielleicht eine Stunde später... Ich möchte es nicht beschwören... Es gehen ja so viele Leute vorüber...«

»Und Sie sehen sie auf diese Weise mehrere Male im Monat?«

»Ich weiß nicht... Ich möchte Ihnen nichts Falsches sagen... Sagen wir, einmal in der Woche... Manchmal vielleicht zweimal...«

»Haben Sie vielen Dank...«

Auch diese paar Worte hatte er seit dem Morgen bis zum Geht-nicht-mehr wiederholt, selbst bei der bärtigen Kurzwarenhändlerin, die ihn zurechtgewiesen hatte.

Aber nun, nach der Konditorei, ließ er nicht von seiner Fährte ab. Es ging nicht immer schnell. Es brauchte einige Geduld, um dem Gedächtnis der Leute nachzuhelfen.

»In welche Richtung geht sie dann?«

»Den Remblai entlang.«

»Zur Mole oder Richtung Wald?«

»Richtung Wald.«

Er konnte ihre Spur nicht lückenlos verfolgen. Wo eine Querstraße einmündete, mußte er auch diese kurz absuchen, um sicher zu sein, daß Madame Bellamy nicht hier um die Ecke bog.

Einmal sah er kurz die beiden Inspektoren, Piéchaud und Boivert, welche – anscheinend waren sie gut ausgeschlafen – frisch und rosig vorbeigingen. Er betrat gerade einen Friseursalon, und sie nahmen sicherlich an, er wolle sich die Haare schneiden lassen. Von weitem sah Maigret deutlich die Fenster des weißen Hauses. Weshalb nur wurde er das Gefühl nicht los, daß ihn jemand beobachtete?

Heute war Freitag. Einer der Tage, an denen der Arzt Sprechstunde hatte: Von zehn bis zwölf Uhr sollte er eigentlich im Pavillon hinten im Garten sein.

Allerdings hinderte ihn nichts daran, seine Patienten sitzenzulassen oder sie schnell abzufertigen, um sich hinter den Jalousien der Bibliothek zu postieren. Mit einem Fernglas konnte er von dort bequem die Wege des Kommissars verfolgen.

Tat er es auch?

»Entweder irre ich mich oder ...«

Seit dem Vorabend brummte dieser Satz in Maigrets

Schädel, und er war sich immerfort einer Gefahr bewußt, die noch nicht gleich – oder noch nicht so sehr – ihm drohte, als jemand anderem, den er nicht kannte. Das ging so weit, daß er in der Frühe, nicht ohne Beklemmung, Kommissar Mansuy angerufen hatte.

»Maigret am Apparat... Haben Sie mir nichts zu melden?... Keinen Mord?... Wird niemand vermißt?...«

Mansuy hatte gemeint, er scherze.

»Ich möchte Sie um einen Gefallen bitten. Sie kennen die Ortsbehörden besser als ich...«

Wann immer er einen Anruf vom ›Hôtel Bel Air‹ aus machte, konnte er sicher sein, daß Monsieur Léonard nicht weit war und wie ein treuer Hund um ihn herumschlich.

»Emile Duffieux kam gewöhnlich jeden Morgen bei Ihnen auf dem Kommissariat vorbei; dann ging er zum Rathaus und schließlich zur Unterpräfektur, um Informationen zu sammeln... Wie?... Ihr Sekretär gab ihm Auskunft?... Spielt keine Rolle... Versuchen Sie, meine Frage richtig zu verstehen... Theoretisch hätte er um Viertel nach zehn, spätestens um halb elf bei Ihnen sein müssen. Nun können Sie sich ausrechnen, wann er, immer noch theoretisch, im Rathaus und auf der Unterpräfektur erschien...«

»Ich kann Ihnen gleich Bescheid geben...«

»Moment bitte... Sie haben nicht verstanden... Ich habe gesagt und ich sage nochmals, *theoretisch*... Was ich wissen muß, ist, ob er diese Zeiten stets einhielt... Ob es nicht zum Beispiel vorkam, daß er an bestimmten oder an irgendwelchen Tagen seinen Rundgang viel später machte...«

»Verstanden...«

»Ich rufe Sie wieder an, oder vielleicht komme ich auch

später bei Ihnen vorbei, um zu hören, was Sie herausgefunden haben.«

»Wissen Sie etwas Neues?«

»Nein, nichts.«

Man konnte den Telefonanruf keine Neuigkeit nennen, den Maigret am späten Abend von Janvier erhalten hatte. Emile Duffieux war noch nicht auf dem Postamt erschienen. Es lagen drei Briefe für ihn dort, alle in Les Sables abgestempelt. Zwei der Briefe waren von derselben Hand geschrieben.

»Die Schrift eines jungen Mädchens«, präzisierte Janvier. »Soll ich sie an mich nehmen und Ihnen schicken?«

»Lassen Sie sie bis auf weiteres bei der Post liegen.«

»Es ist auch ein Telegramm gekommen.«

»Ich weiß. Danke.«

Das Telegramm, in dem der junge Mann über den Tod seiner Schwester in Kenntnis gesetzt wurde.

Bevor Maigret den Hörer auflegte, hätte er dem Inspektor beinahe noch einen weiteren Auftrag gegeben. Aber er hatte das Gefühl, nur er selber hätte ihn richtig ausführen können. Nun war er aber in Les Sables und konnte nicht gleichzeitig in Paris sein. Ob das richtig war und ob sich diese obskure und minutiöse Arbeit lohnte, der er seit seinem Erwachen nachging?

»Odette Bellamy?... Gewiß doch, Herr Kommissar...«

Noch einer, der ihn kannte, der Lederwarenhändler; er behandelte ihn mit einer Vertrautheit, wie sie sonst nur Filmstars von ihren Verehrern zuteil wird.

»Germaine...«, rief er ins Hinterzimmer. »Kommissar Maigret ist da...«

Es war ein junges, sympathisches Paar.

»Haben Sie eine Spur? Stimmt es, was man sich erzählt?«

»Zuerst müßte ich wissen, was man sich erzählt.«

»Daß Sie eine bedeutende Persönlichkeit unserer Stadt festnehmen wollen und daß der Untersuchungsrichter Sie daran hindert…«

So war in all dem unsinnigen Gerede doch ein Körnchen Wahrheit.

»Das bestimmt nicht, Madame, Sie können beruhigt sein. Ich will niemanden festnehmen.«

»Auch nicht den Mörder der kleinen Duffieux?«

»Damit befassen sich meine Kollegen. Ich möchte Ihnen nur eine Frage stellen. Kennen Sie die Frau von Dr. Bellamy?«

»Ich kenne Odette sehr gut.«

»Sind Sie mit ihr befreundet?«

»Vor ihrer Heirat waren wir Freundinnen. Seither sieht man sich weniger…«

»Das eben möchte ich von Ihnen wissen, ob Sie sie nicht hin und wieder auf dem Remblai vorbeigehen sehen.«

»Ziemlich oft…«

»Was nennen Sie ziemlich oft?«

»Was weiß ich… Ein-, zweimal in der Woche… Manchmal, wenn ich gerade unter der Tür stehe, wechseln wir ein paar Worte…«

»Und wissen Sie, wohin sie dann geht?«

Sie war verdutzt, wie jemand, der auf ein schwieriges Examen gefaßt ist und dann eine völlig belanglose Frage gestellt bekommt.

»Selbstverständlich!«

»Weit von hier?«

»Gleich nebenan... Ins Nachbarhaus...«

»Und wissen Sie, was sie dort tut?«

»Das ist nicht schwer zu erraten... Man sieht, daß Sie keine Frau sind, Herr Kommissar... Im ersten Stock dieses Hauses befindet sich ein Schneideratelier und Wäschegeschäft, das von einer andern meiner Freundinnen, Olga, geführt wird... Alle Frauen in Les Sables, die ein wenig auf Eleganz halten, lassen sich von Olga einkleiden, abgesehen von denen, die ihre Kleider aus Nantes oder Paris beziehen... Und selbst die haben immer mal wieder eine Kleinigkeit, und sei es nur Wäsche, die sie sich anfertigen lassen...«

»Sind Sie sicher, daß Odette Bellamy nicht anderswohin geht?«

»Ich sah sie unzählige Male nebenan eintreten... Olga wird es Ihnen bestätigen...«

»Haben Sie vielen Dank...«

Er ärgerte sich. Seine Überlegungen waren richtig gewesen, da die junge Frau tatsächlich ein- oder zweimal in der Woche allein ausging, aber er war nicht imstande gewesen, seinen Gedanken zu Ende zu denken.

Wenn er Kinder hätte, so wäre er – der Polizist hatte es ihm vorgemacht – an jenem Abend auf die Lehrerin gekommen.

Wenn er eine Frau wäre, hätte er gleich an die Schneiderin gedacht.

»Darf ich Ihr Telefon benutzen?«

Er wollte Mansuy anrufen.

»Ich glaube, Sie haben recht, Herr Kommissar... Ich frage mich, wie Sie das erraten haben... Normalerweise kam der junge Duffieux immer zur gleichen Zeit... Er traf an allen Orten, die Sie genannt haben, fast auf die Minute pünktlich ein... Wenn er aber, was hin und wieder vorkam, Verspätung hatte, dann gleich zwei Stunden... Ich versuchte herauszufinden, ob das immer am gleichen Wochentag war; leider vermochte das aber keiner der Herren zuverlässig zu sagen...«

»Haben Sie vielen Dank...«

Es war der ewig gleiche Refrain. Den lieben langen Tag bedankte er sich. Jetzt auch nochmals bei dem Paar, bevor er ins Nachbarhaus hinüberging, ein schönes mehrstöckiges Gebäude mit einem hellen, breiten Treppenhaus und großen Türen aus poliertem Eichenholz.

Auf dem Messingschild im ersten Stock links las er:

Olga
Haute Couture – Accessoires – Damenwäsche

Bevor er eintrat, klopfte er automatisch die Pfeife an seinem Absatz aus. Eine kleine Frau, die ihren Augen nicht zu trauen schien, eilte ihm entgegen.

»Sie wünschen, mein Herr?«

»Ich möchte Madame Olga sprechen.«

»Wen darf ich melden?«

»Niemanden.«

»Ich will nachsehen, ob Mademoiselle da ist.«

Sie brauchte nicht weit zu gehen, nur hinter einen Vorhang, wo sie gleich zu flüstern begann. Dann trat eine große hagere Frau in das perlgraue Empfangszimmer, in dem Maigret stehengeblieben war.

»Monsieur …?«

»Maigret … Mein Name tut nichts zur Sache … Mademoiselle Olga?«

»Ja.«

Sie hatte ein recht energisches Auftreten, markante Gesichtszüge und war gut gekleidet; ihr leichtes Kostüm ließ sie sehr nach Geschäftsfrau aussehen.

»Wenn Sie mir bitte in mein Büro folgen wollen …«

Es war winzig klein und roch nach Oregano und blondem Tabak. Sie bot ihm Zigaretten an, und er hätte beinahe, ohne es zu merken, eine genommen.

»Eine Ihrer Kundinnen ist, glaube ich, die Frau von Dr. Bellamy?«

»Ja, das stimmt. Wobei Odette mehr als eine Kundin ist, sie ist eine Freundin.«

»Ich weiß.«

»So?«

»Sie kommt oft zu Ihnen, nicht wahr? Durchschnittlich ein- oder zweimal in der Woche …«

»Kann sein … Aber dürfte ich wissen …?«

»Wenn Sie gestatten, stelle ich hier die Fragen. Hat Dr. Bellamy Sie heute morgen angerufen?«

»Nein. Weshalb?«

»Gestern auch nicht?«

»Gestern auch nicht.«

»Er kam auch nicht bei Ihnen vorbei?«

»Er kommt überhaupt nie hierher.«

»Haben Sie ihn zufällig auf der Straße gesehen? Entschuldigen Sie, wenn ich so hartnäckig frage. Es ist außerordentlich wichtig.«

»Nein... Ich verstehe nicht...«

»Wohnen Sie auch hier?«

»Genaugenommen nicht... Ich habe zwei nebeneinanderliegende Wohnungen... Diese hier dient nur als Atelier und Empfangszimmer... Die andere ist kleiner und liegt auf der Rückseite des Hauses; dort wohne ich...«

»Kann man sie nur vom Remblai aus betreten?«

»Wie alle Häuser hier hat auch dieses zwei Eingänge, einen am Remblai, den andern an der Rue du Mirage.«

»Hören Sie zu, Mademoiselle Olga...«

»Mir scheint, ich tue schon die ganze Zeit nichts anderes, als Ihnen zuzuhören und Auskunft zu geben.«

Sie ließ sich nicht aus der Ruhe bringen, rauchte ihre Zigarette und sah ihm in die Augen.

»Seit gestern nachmittag suche ich Sie.«

Sie lächelte.

»Es ist ja, wie Sie sehen, nicht besonders schwer, mich zu finden.«

»Sie müssen mir unbedingt offen antworten. Und bitte sorgen Sie dafür, daß uns niemand hören kann.«

Er sprach so entschieden, daß sie gehorchte, einen Vorhang beiseiteschob und einige Anweisungen gab, um das Personal fernzuhalten.

»Ihre Freundin Odette kam nicht nur zu Ihnen, weil sie ihre Schneiderin sehen wollte.«

»Meinen sie?«

Ihre Lippe hatte leicht zu zittern begonnen.

»Die Zeit drängt, seien Sie sich dessen bewußt. Es ist

nicht der Moment für irgendwelche schlauen Spielchen. Sie wissen vermutlich, wer ich bin?«

»Nein, aber ich nehme an, Sie sind von der Polizei.«

»Kommissar Maigret.«

»Freut mich.«

»Ich bin hier in den Ferien. Niemand hat mich beauftragt, irgendwelche Ermittlungen anzustellen. Mindestens zwei schlimme Verbrechen haben sich binnen weniger Tage hier ereignet, ohne daß ich sie verhindern konnte. Ich hätte aber, wenn jeder offen zu mir gewesen wäre, zumindest dem zweiten zuvorkommen können.«

»Ich verstehe nicht, was ...«

»Doch.«

Das Blut schoß der jungen Frau ins Gesicht.

»Ich war nicht sicher, Sie heute morgen noch lebend anzutreffen. Die kleine Duffieux, die weniger als Sie von der Sache wußte, ist vorgestern nacht ermordet worden.«

»Sie glauben, da besteht ein Zusammenhang?«

Sie gab nach. Allmählich gab sie nach. Der schwierigste Teil der Arbeit war getan. Sie hatte gar nicht richtig mitbekommen, wie ihr geschah, und nun gab es für sie kein Zurück mehr.

»Kam Emile immer durch die Rue du Mirage?«

Ein letztes Mal machte sie den Mund auf, um zu lügen oder Einspruch zu erheben. Aber Maigret näherte sein Gesicht so bedrohlich dem ihren, und eine solche Willenskraft lag darin, daß sie stammelte:

»Ja ...«

»Ich nehme an, Ihre Freundin Odette hielt sich nicht lange hier auf, sondern ging gleich in Ihre Wohnung?«

»Wie können Sie das wissen?«

»Wo ist sie im Augenblick?«

»Das werden Sie auch wissen.«

»Antworten Sie mir.«

»Nun... Ich nehme an, sie ist in Paris...«

Maigret zog geistesabwesend seine Pfeife aus der Tasche und stopfte sie im Tabakbeutel.

»Nein«, entgegnete er mit rauher Stimme.

»Dann ist er also auch nicht weggefahren?«

»Er ist nicht mehr in Les Sables.«

»Und Sie sind ganz sicher, daß Odette noch da ist? Haben Sie sie gesehen?«

»Ich habe sie nicht mit eigenen Augen gesehen, aber Dr. Bourgeois, der sie behandelt, hat sie noch vor drei Tagen gesehen.«

»Jetzt verstehe ich überhaupt nichts mehr.«

»Das spielt keine Rolle.«

»Und ihr Mann?«

»Eben!«

»Wollen Sie sagen, er weiß Bescheid?«

»Das ist mehr als wahrscheinlich.«

»Aber dann... dann...«

Sie schnellte entsetzt von ihrem Sitz auf und begann, in dem kleinen Büro auf und ab zu gehen.

»Sie wissen nicht, was das bedeutet...«

»Doch.«

»Er ist zu allem fähig... Sie kennen ihn nicht, wie ich ihn kenne... Sie wissen nicht, auf welche Weise er sie liebt... Sie haben ihn gesehen... Er macht den Eindruck eines kühlen Mannes... Und trotzdem liegt er manchmal weinend wie ein Kind zu Odettes Füßen... Am liebsten hätte er sie eingesperrt, damit kein Blick eines Mannes sie auch nur streifte...«

»Ich weiß.«

»Odette war ihm immer zugetan, war ihm stets dankbar... Trotzdem war sie nicht glücklich... Sie hat oft daran gedacht, ihn zu verlassen, und wenn sie geblieben ist, dann nur, weil sie befürchtete, ihn zur Verzweiflung zu treiben...«

»Sie hat sich aber schließlich doch dazu entschlossen«, warf Maigret ein.

»Weil sie selber auch geliebt hat... Männer verstehen diese Dinge nicht... Sie haben ja Emile nicht gekannt... Wenn Sie ihn gesehen hätten... Wenn Sie seine Augen gesehen hätten, und wie seine Hände bebten... Wenn Sie die Inbrunst gefühlt hätten, die...«

Sie brach plötzlich ab, wurde verlegen.

»Entschuldigen Sie«, sagte sie ruhig. »Das ist es nicht, was Sie wissen wollten.«

»Im Gegenteil.«

»Nun denn, sie lieben sich eben, das ist alles.«

»Das ist alles, sagen Sie! Und Odette hat Sie gebeten, ihr die Zusammenkünfte mit ihrem jungen Liebhaber arrangieren zu helfen.«

»Ich hätte es für niemanden sonst getan.«

»Das glaube ich Ihnen gern.«

»Ich riskierte viel dabei.«

»Ja.«

»Wenn es zum Skandal gekommen wäre...«

»Und es wird dazu kommen.«

»Was wollen Sie also von mir? Warum wollen Sie mir unbedingt Angst einjagen?«

»Ich habe mehr Angst als Sie. Eben um ein neues Unglück zu verhüten, möchte ich die Zusammenhänge verstehen.«

»Sind Sie sicher, daß Odette nicht abgereist ist?«

»Ja.«

»Ich kann mir nicht vorstellen, daß er ohne sie gegangen ist.«

»Ich auch nicht.«

Sie starrte ihn an.

»Was also?«

»Seit dem Abend, für den die Flucht angesetzt war, hat man ihn in Les Sables nicht mehr gesehen. Er wurde aber auch am Bahnhof nicht gesehen. Sagen Sie mir, wo sie sich verabredet hatten.«

»In der kleinen Straße hinter dem Haus des Doktors ...«

»Um wieviel Uhr?«

»Um halb zehn.«

»Um diese Zeit hält sich Bellamy gewöhnlich in der Bibliothek auf, in der Nähe des Zimmers seiner Frau.«

»An diesem Abend wurde in der Präfektur ein Essen gegeben, und er hatte sein Erscheinen zugesagt.«

»Sind Sie sicher, daß Odette Sie seither weder angerufen noch sonst das geringste Lebenszeichen von sich gegeben hat?«

»Ich schwöre es Ihnen, Herr Kommissar. Sie werden zugeben, daß ich offen mit Ihnen gesprochen habe ...«

»Wissen Sie, wo Ihre Freundin und Emile sich kennengelernt haben?«

Die Frage stürzte sie erneut in Verlegenheit.

»Ich weiß nicht, ob ich Ihnen das sagen darf. Sie werden es nicht verstehen. Es ist so kindisch!...«

»Ich bin auch ein Kind gewesen.«

»Und ist es Ihnen auch so gegangen, daß Sie wochenlang einer Frau auflauerten und ihr auf der Straße nachliefen?... Das hat er nämlich getan... Und zwar gerade dann, wenn sie ausging, um mich zu besuchen... Es war im Herbst... Ihre ganze Wintergarderobe mußte in Ordnung gebracht werden... So kam sie häufiger... und zwar immer, wenn ihr Mann Sprechstunde hatte, um sich freier zu fühlen, obwohl sie ja damals noch nichts Unerlaubtes tat... Emile folgte ihr... Sie sehen, wie einfach es ist...«

»Ich nehme an, er begann dann, ihr zu schreiben?«

»Ja. Und sie hat ihm über zwei Monate nicht geantwortet. Als sie es schließlich doch tat, bat sie ihn lediglich, er solle sie in Ruhe lassen.«

»Ich kenne das.«

»Wenn es jemand anderem geschieht, wirkt es lächerlich...«

Ihr allerdings war es nicht lächerlich erschienen. Im Gegenteil, offenbar hatte sie das Abenteuer ihrer Freundin leidenschaftlich miterlebt.

»Auf diesen Brief hin kam er dann, mit dem Mut der Verzweiflung, eines Morgens hier ins Atelier... ›Ich muß Sie unbedingt sprechen...‹

Odette wußte nicht, was tun... Ich konnte die beiden nicht im Empfangszimmer lassen... Ich bugsierte sie in mein Büro...

Anschließend haben sie sich weiter geschrieben...«

»Durch Ihre Vermittlung, nehme ich an?«

»Ja. Dann...«

»Ich verstehe.«

»Es war eine ganz reine Liebe, ich schwöre es Ihnen.«

»Gewiß!«

»Odette hat auch nicht einen Augenblick gezögert, alles aufzugeben – das ist doch wohl Beweis genug. In Paris wäre sie gezwungen gewesen zu arbeiten, denn er hatte nur eine bescheidene Stellung gefunden. Als ich sie fragte, ob sie ihre Kleider und ihren Schmuck mitnehme, gab sie zur Antwort:

›Nichts, ich will ein ganz neues Leben beginnen...‹«

»Und Bellamy?«

»Was meinen Sie?«

»Ahnte er nichts? Haben Sie nie bemerkt, daß er bei Ihnen herumgeschnüffelt hätte? Und noch eine Frage: Hob Ihre Freundin die Briefe ihres Liebhabers auf?«

»Natürlich.«

Sie verstand, was er meinte.

»Etwas anderes: Sind Sie sicher, daß außer Ihnen niemand Bescheid weiß?«

An ihrer Verlegenheit merkte er, daß irgend etwas nicht stimmte.

»Wie konnte ich nur gestern nicht daran denken«, sagte sie nachdenklich, mit gesenkter Stimme. »Anfang des Frühlings war Emile eine Woche lang einer Angina wegen ans Bett gefesselt. Es wurden aber weiterhin Briefe in meinen Kasten gesteckt. Ich muß erwähnen, daß er sie aus Vorsicht nie mit der Post schickte. Als ich einmal ganz in der Frühe die Tür öffnete, sah ich ein kleines Mädchen davonlaufen...«

»Lucile?«

»Es war seine Schwester, ja.«

»Glauben Sie, er hat sie über seine Pläne ins Bild gesetzt?«

»Möglicherweise. Ich weiß es nicht. Ich weiß überhaupt nichts mehr. Das alles schien so einfach, so unschuldig...«

»Sehen Sie, Mademoiselle, es gibt einen Mann, der seit einigen Tagen denselben Fragen nachgeht wie ich, nur hat er den Vorteil, daß er viel mehr darüber weiß als ich. Ich bin nun heute morgen bis hierher gelangt...«

»Wie eigentlich?«

»Indem ich von Tür zu Tür ging. Weil ich von Odette und Emile ausging. Weil sie sich ja irgendwo treffen mußten. Und weil ich nicht, wie jede Frau an meiner Stelle, an die Schneiderin gedacht habe. Wer bezahlte die Rechnungen für Madame Bellamy?«

»Ihr Mann schickte mir Ende des Jahres einen Scheck.«

»Weiß er, daß Sie von Jugend an mit ihr befreundet waren?«

»Bestimmt, denn Odette und ich waren ständig zusammen, als er sich in sie verliebte.«

»Liebte sie ihn?«

»Ich glaube, ja.«

»Eine flaue Liebe, nicht wahr, bei der das große Haus, der Schmuck, die Kleider und das Auto eine große Rolle spielten?«

»Vermutlich. Odette hatte immer Angst, wie ihre Mutter zu enden. Was soll ich jetzt nur tun? Und was werden Sie tun?«

Das Telefon klingelte.

»Einen Augenblick, bitte ...«

Sie hatte kaum den Hörer abgenommen, als sie erbleichte und sich gestikulierend Maigret zuwandte.

»Ja, Doktor ... Hallo, Herr Doktor, ich verstehe Sie so schlecht ... Hier Olga, ja ... Wie? ... Würden Sie den Namen wiederholen? ... Maigret? ...«

Sie suchte mit dem Blick die Zustimmung oder Ablehnung des Kommissars, und dieser nickte heftig.

»Sie möchten wissen, ob er hier bei mir war?«

Der Kommissar wies mit dem Finger auf das Zimmer, und da sie nicht sicher war, ihn richtig verstanden zu haben, antwortete sie auf gut Glück:

»Er ist hier ... Nein ... Noch nicht sehr lange ... Warten Sie, ich glaube, er will selbst mit Ihnen sprechen.«

Maigret ergriff den Hörer.

»Hallo? ... Sind Sie es, Doktor? ...«

Schweigen am andern Ende der Leitung.

»Ich wollte Sie eben selbst anrufen, um Sie um eine Unterredung zu bitten ... Vergessen Sie nicht, daß Sie mir gesagt haben, Sie stünden stets zu meiner Verfügung ... Hallo? ...«

»Ich höre Sie ...«

»Rufen Sie von zu Hause an?«

»Ja.«

»Wenn Sie erlauben, bin ich in wenigen Minuten bei Ihnen ... So lange, wie man für die obere Hälfte des Remblai braucht ... Hallo? ...«

Erneutes Schweigen.

»Hören Sie mich, Doktor?«

»Ja.«

»Es spricht jemand mit Ihnen... Hallo!... Ich bitte Sie, ich beschwöre Sie, ich befehle Ihnen, nichts zu unternehmen, bevor ich eintreffe... Hallo?...«

»Ja...«

»Versprechen Sie es?«

Schweigen.

»Hallo?... Hallo! Fräulein... Unterbrechen Sie nicht... Wie?... Er hat aufgehängt?...«

Er hastete zur Tür, griff noch schnell nach seinem Hut und stürzte, vier Stufen auf einmal nehmend, die Treppe hinunter. Gleich vor der Tür sah er den offenen Wagen des Lederwarenhändlers, der selber gerade, mit dem Hut auf dem Kopf, aus seinem Geschäft trat und noch ein paar Worte zu seiner Frau sagte.

»Fahren Sie mich bitte zu Dr. Bellamy?...«

»Aber mit Vergnügen.«

Es waren nur dreihundert Meter, Maigret jedoch hatte das Gefühl, während der kurzen Zeit, die der Wagen für die Strecke brauchte, keinen Atem mehr holen zu können. Sein Begleiter sah ihn verwundert an, war aber so beeindruckt, daß er keine Fragen zu stellen wagte.

Er trat auf die Bremse.

»Soll ich auf Sie warten?«

»Danke... Nein...«

Er klingelte laut und lange an der Tür. Er hörte auf der andern Seite eine Frauenstimme, es war die alte Madame Bellamy, die sagte:

»Francis, gehen Sie nachsehen, wer dieser Rüpel ist...«

Der Diener öffnete, verblüfft darüber, einen so aufgeregten Maigret vor sich zu sehen.

»Ist er oben?«

»In der Bibliothek, ja… Jedenfalls war er vor einer Viertelstunde noch dort…«

Madame Bellamy stand mit dem Stock in der Hand unter der offenen Salontür, aber er nahm sich nicht die Mühe, sie zu grüßen. Er ging schnurstracks die Treppe hinauf. Einen kleinen Moment blieb er vor dem Zimmer Odettes stehen. Er hörte ein Geräusch im Flur. Wer weiß, vielleicht hätte er sonst versucht, die Tür zu öffnen?

Philippe Bellamy erwartete ihn, aufrecht stehend, steif wie auf einem Porträt, vor dem Hintergrund der kostbaren Einbände, die die Regale der Bibliothek füllten.

»Wovor haben Sie Angst?« fragte er, jedes Wort betonend, als Maigret wieder Atem schöpfte.

Ein kaltes, spöttisches Lächeln spielte um seine Mundwinkel.

Er ließ ihm den Vortritt; Maigret betrat das Zimmer, in dem sie sich am Vorabend zu dritt unterhalten hatten, und nahm auf dem angewiesenen Sessel Platz.

»Wie Sie sehen, habe ich Sie erwartet.«

Warum konnte der Kommissar den Blick nicht von seinen weißen Händen abwenden, als hätte er daran Blutspuren zu entdecken geglaubt?

Auch diesen Blick verstand der Doktor sehr wohl.

»Sie glauben mir nicht?«

Ein Zögern. Er überlegte einen Augenblick. Bellamy mußte bis zum Zerreißen angespannt sein. Er fuhr sich mit der Hand über die Stirn.

»Kommen Sie.«

Er ging ihm durch den Flur voran und nahm schon im

Gehen einen kleinen Schlüssel aus der Tasche. Vor der Tür seiner Frau blieb er stehen. Er drehte sich um, sah Maigret an. Was zögerte er noch?

Endlich schloß er doch auf, drehte langsam den Schlüssel und gab den Blick frei auf das durch die Vorhänge in goldenes Licht getauchte Zimmer.

Ein großes Bett, mit Seide ausgeschlagen – ein wahres Gemach – und über das Kopfkissen hingegossen die blonden Haare einer Frau, die Andeutung eines Profils, lange Wimpern, die Krümmung einer Nase, deren Flügel leicht bebten, ein Mund, der zu schmollen schien, die Unterlippe vorgeschoben, und auf der goldenen Bettdecke ausgestreckt ihr weicher, nackter Arm.

Philippe Bellamy stand aufrecht, unbeweglich an die Türfüllung gelehnt. Und als sich der Kommissar nach ihm umdrehte, sah er, daß der Doktor die Augen geschlossen hatte.

»Lebt sie?« fragte Maigret mit verhaltener Stimme.

»Sie lebt.«

»Sie schläft?«

»Ja, sie schläft.«

Bellamy sprach wie im Schlaf, die Augen immer noch geschlossen, die Hände krampfhaft zusammengeballt.

»Bourgeois ist heute morgen hier gewesen und hat ihr ein Beruhigungsmittel gegeben. Sie braucht Schlaf.«

Sobald sie still waren, wurden im Zimmer die regelmäßigen Atemzüge der jungen Frau vernehmbar, so leicht, so leise wie der Flügelschlag eines Nachtfalters.

Maigret machte einen Schritt zur Tür hin, wandte sich dann nochmals zu der Schlafenden um.

Mit schon etwas ungeduldiger Stimme drängte ihn der Doktor:

»Kommen Sie.«

Er schloß die Tür sorgfältig ab, steckte den Schlüssel in die Tasche und wandte sich der Bibliothek zu.

9

Sie hatten sich wieder in der Bibliothek niedergelassen, Bellamy an seinem gewohnten Platz vor dem Schreibtisch, Maigret in einem der Ledersessel. Sie schwiegen beide, ein Schweigen, das nichts Peinliches, nichts Feindseliges hatte und das vielleicht zu einer Art Entspannung beitrug. Nun erst, nachdem er seine Pfeife angezündet hatte, fiel dem Kommissar eine Veränderung auf, die – ob schon gestern oder erst vor einigen Minuten? – in seinem Gesprächspartner vor sich gegangen war. Er machte nun den Eindruck eines Menschen, der von einer ungeheuren Müdigkeit übermannt wird, sich jedoch beherrscht, um bis zum Ende durchzuhalten. Er hatte feine, aber tiefe Ringe unter den Augen, und seine Haut war so weiß, so fahl, daß die Lippen dagegen wie geschminkt wirkten.

Er war sich bewußt, daß Maigret ihn unwillkürlich aufs peinlichste musterte, doch er machte sich darüber keine Gedanken, und als er sich endlich regte, tat er es, um auf die Klingel zu drücken. Zum ersten Mal hatte es so ausgesehen, als suchte sein Blick eine Einwilligung. Man hätte nicht von einem Lächeln sprechen können. Doch hatte sich sein Gesicht gleichsam kurz aufgehellt, etwas Unbestimmtes, Bitteres war darübergehuscht, etwas wie Ironie auch dem Kommissar und etwas beinahe wie Mitleid sich selbst gegenüber.

Ob er wohl, als er den Knopf drückte, daran dachte, daß er vielleicht zum letzten Mal als freier, vermögender Mann handelte, in einer Umgebung, die er so liebevoll gestaltet hatte? Und als hätte er auf einmal diesen Tick, fuhr er sich immer wieder mit der Hand über die Stirn; allein bevor der Diener kam, unterlief es ihm zweimal.

»Ich nehme einen Whisky…«, sagte er. »Und Sie, Monsieur Maigret?«

»Es ist zwar nicht die richtige Tageszeit dafür, aber ich hätte gern etwas Trockenes, einen Cognac oder einen Armagnac.«

Als das Tablett auf dem Tisch stand und die Gläser gefüllt waren, begann der Doktor, halb verträumt, eine eben angezündete Zigarette in der Hand:

»Es gibt mehrere Lösungen…«

Als handelte es sich um ein Problem, das sie zusammen schon würden lösen können.

»Es gibt immer nur eine richtige«, echote seufzend Maigret.

Er erhob sich schwerfällig und ging zum Telefon, das auf dem Schreibtisch stand.

»Sie erlauben?… Hallo! Fräulein, geben Sie mir bitte La Roche-sur-Yon 118… Wie bitte?… Ich brauche nicht zu warten? Hallo?… Ich möchte den Untersuchungsrichter de Folletier sprechen… Melden Sie Dr. Bellamy… Bellamy, richtig…

Hallo?… Sind Sie es, Herr Richter?… Hier Maigret… Wie meinen Sie?… Aber nein… Ich bin in seinem Büro und gebe ihn Ihnen gleich weiter… Ich glaube, er will Sie bitten, möglichst rasch hierherzukommen…«

Als hätten sie das vorher so vereinbart, übergab er den Hörer dem Arzt, der ihn mit ergebener Miene in die Hand nahm. Einen Augenblick nur waren sich ihre Blicke begegnet. Sie hatten sich verstanden.

»Ich bin's, Alain … Es wäre mir in der Tat lieb, wenn du herkommen würdest, sobald du kannst … Was sagst du?… So wie ich dich kenne, tafelst du den halben Nachmittag, wenn du dich erst zu Tisch setzt … Könntest du dich nicht ausnahmsweise mit einem Sandwich begnügen und sofort losfahren?… Deine Frau ist mit dem Wagen nach Fontenay gefahren?… Dann nimm doch ein Taxi … Ja … Wir warten auf dich … Es ist ziemlich wichtig …«

Er hängte auf, und wieder herrschte Schweigen im Zimmer. Nach einer Weile wurde es durch das Klingeln des Telefons unterbrochen. Bellamy sah Maigret fragend an, und dieser stimmte zu, indem er nur die Augen kurz niederschlug.

»Hallo … Ja, Mutter … Nein … Ich bin noch eine Weile beschäftigt … Nein, nein … Bitte, iß doch allein … Ich komme nicht hinunter …«

Als er aufgehängt hatte, bemerkte er:

»Geben Sie zu, daß Sie keinerlei Beweise haben.«

»Das stimmt.«

Bellamy hatte es ohne Überheblichkeit gesagt. Es lag keine Herausforderung in seiner Bemerkung. Er frohlockte nicht, sondern stellte einfach fest. Hier saßen zwei Männer, die sich in aller Ruhe ein Problem vornahmen und sich mit seinen Gegebenheiten auseinandersetzten.

»Ich weiß nicht, wie Sie es mit Alain anfangen werden,

aber ich bezweifle, beim gegenwärtigen Stand der Ermittlung, daß Sie einen Haftbefehl erwirken können. Nicht nur, weil er mein Freund ist. Jeder Untersuchungsrichter würde zögern, eine solche Verantwortung auf sich zu nehmen.«

»Trotzdem«, sagte Maigret, »muß ich sie auf mich nehmen. Meinen Sie nicht, Doktor, daß es so schon genug Opfer gegeben hat?«

Bellamy senkte, vielleicht um seine Hände anzuschauen, den Kopf.

»Ja«, sagte er endlich. »Das habe ich mir auch überlegt, schon bevor Sie kamen. Seit zwei Tagen versuche ich, sozusagen Stunde für Stunde, anhand der Schritte, die Sie unternehmen, Ihre Gedankengänge nachzuvollziehen. Heute morgen wurde mir klar, welche Rolle Olga spielte, noch bevor ich Sie auf dem Remblai von Tür zu Tür gehen sah, aber da wußte ich, daß auch Sie schließlich auf sie kommen würden. Ich hatte einen Vorsprung vor Ihnen. Während Sie die Leute weiter ausfragten, hätte ich am Hintereingang klingeln können...«

»Glauben Sie, das hätte genügt?«

»Bedenken Sie, daß Sie – die Aussage Olgas eingeschlossen – nichts in der Hand haben, um mich wirklich zu belasten. Verdachtsmomente vielleicht, auf Grund derer kein Schwurgericht einen Mann in meiner Stellung verurteilen würde. Ich möchte Ihnen begreiflich machen, daß ich den Kopf nicht verliere, daß ich noch nicht ausgespielt habe und daß ich wahrscheinlich, wenn nicht mit allen Ehren, so doch zumindest als freier Mann aus dieser Affäre hervorgehen würde.«

Sein Blick schien die Gegenstände um ihn herum zu liebkosen, und wiederum lag etwas leise Ironisches darin.

»Allerdings ...«, setzte er nochmals an.

»Allerdings«, unterbrach ihn Maigret, »müßten Sie die Liste Ihrer Opfer verlängern. Und Sie haben davon allmählich genug, nicht wahr? Selbst wenn Sie sich beeilen, werden Sie kaum rechtzeitig damit fertig werden. Es gibt nämlich etwas, besser gesagt, jemanden, den Sie vergessen haben. Ein einziges Mal haben Sie nicht allein gehandelt, sondern waren, einer geringfügigen Kleinigkeit wegen, auf Hilfe von außen angewiesen.«

Der Doktor runzelte nachdenklich die Stirn, als ginge es darum, eine Gleichung zu lösen.

»Die Ansichtskarte«, half ihm der Kommissar nach. »Die Postkarte, die in Paris abgestempelt werden mußte, ohne daß Sie dort waren. Ich brauche nur morgen hinzufahren, Ihre Schwiegermutter in mein Büro am Quai des Orfèvres zu bitten und sie ein paar Stunden lang zu verhören ... Verstehen Sie mich?... Zu guter Letzt wird sie reden ...«

»Vielleicht.«

»Das ist übrigens, offen gestanden, einer der Schliche, die mich am meisten überrascht haben. Wie kommt es, daß Sie eine Ansichtskarte von Paris zur Hand hatten? Ich habe in der Buchhandlung vergeblich danach gesucht.«

Der Doktor zuckte die Schultern, erhob sich, nahm etwas aus einer Schublade.

»Wie Sie sehen, habe ich mir nicht die Mühe genommen, die restlichen zu vernichten. Ich habe sie wohl irgendwann einmal einem Bettler oder einem Hausierer abgekauft. Seit Jahren liegen sie in dieser Schublade.«

Er hatte Maigret einen Umschlag gereicht, der etwa zwanzig höchst gewöhnliche Ansichtskarten enthielt und auf dem zu lesen war: ›Die großen Städte Frankreichs‹.

»Ich hätte Ihnen nicht zugetraut, so perfekt eine Schrift nachzuahmen.«

»Ich habe sie nicht nachgeahmt.«

Maigret blickte auf, überrascht, auch bewundernd.

»Sie wollen sagen ...?«

»Daß er sie selbst geschrieben hat.«

»Nach Ihrem Diktat?«

Der Doktor zuckte von neuem die Schultern, als wäre das nun wirklich zu einfach. Fast gleichzeitig spitzte er die Ohren und bedeutete Maigret, sich nicht zu rühren. Dann ging er auf leisen Sohlen zur Tür, nicht zu jener auf den Flur, sondern der zum Nebenzimmer, und riß sie plötzlich auf. Das Zimmermädchen stand da, ganz beschämt. Bellamy tat, als glaube er, daß sie in diesem Augenblick gekommen sei.

»Wollten Sie mir etwas sagen, Jeanne?«

Endlich sah Maigret auch sie. Eine magere Frau, ohne Busen und ohne Hüften, mit einem mürrischen Gesicht, unebenmäßigen Zügen, schlechten Zähnen.

»Ich dachte, Sie wären bei Tisch, und wollte deshalb aufräumen kommen.«

»Gehen Sie besser in meiner Praxis aufräumen, Jeanne. Hier ist der Schlüssel.«

Als die Tür wieder geschlossen war, sagte er seufzend:

»Die hier brauche ich nicht zu töten. Begreifen Sie das? Ich weiß nicht, was sie denkt. Ich weiß nicht einmal, ob und inwieweit sie etwas ahnt.

Aber würde ich auch die halbe Stadt ermorden und wäre ein abscheuliches Monster, so brächten Sie doch kein Wort aus ihr heraus.«

Er hielt einen Moment inne, seufzte dann:

»Die hier liebt mich…«

Eine untertänige und doch heftige Zuneigung, hoffnungslos zudem, trotz jener andern Liebe, an der die ihre wuchs.

Sie liebte ihn, und die übereifrigen Dienste, die sie Odette Bellamy erwies, waren nur ein weiteres Zeichen dafür.

Folgte der Doktor immer noch Schritt für Schritt den Gedankengängen des Kommissars? Jedenfalls schüttelte er, nachdem er sich wieder eine Zigarette angezündet und einen Schluck Whisky genommen hatte, verneinend den Kopf.

»Sie irren sich. Es war nicht sie…«

Und nach einer Pause fügte er schwermütig hinzu:

»Es war meine Mutter! Denn auch sie liebt mich, wenigstens nehme ich es an, da sie mir gegenüber ebenso eifersüchtig ist, wie ich es immer bei meiner Frau war. Sie fragen sich sicher, wie ich draufgekommen bin?

Es ist einfach und zugleich dumm. Im Boudoir meiner Frau steht ein kleiner Louis-xv-Schreibtisch aus Rosenholz. Darauf Schreibzeug und ein Löschblatt. Nun gibt es kaum jemanden, dem Schreiben mehr zuwider wäre als Odette. Ich habe sie oft deswegen aufgezogen, und wenn jemand aus unserem kleinen Freundeskreis uns einlud, war immer ich es, der schreiben mußte, um zuzusagen oder unser Fernbleiben zu entschuldigen.

Nun machte mich eines Vormittags, Odette war gerade im Garten, meine Mutter auf das Löschblatt aufmerksam. ›Anscheinend hat deine Frau ihre Gewohnheiten geändert‹, sagte sie nur.

Denn das Löschblatt war mit Tintenspuren übersät; offensichtlich hatte sie eine Menge Briefe damit getrocknet.

Einfach und dumm, wie Sie sehen. Man denkt an alles, nur nicht an solche Details.

Es kommt mir vor, als liege das alles weit zurück, aber es sind seither erst zwei Wochen vergangen.«

»Haben Sie die Briefe gefunden?«

»Dort, wo alle Frauen sie verstecken: unter ihrer Wäsche.«

»Sprach Emile darin von der Abreise?«

»Im letzten Brief standen alle Einzelheiten.«

Er sprach mit nüchterner, kühler Stimme.

»Das war zwei Tage vorher...«

»Und Sie haben nichts gesagt?«

»Ich habe mir nichts anmerken lassen.«

»Sie mußten zu einem Essen auf der Unterpräfektur, nicht wahr?«

»Ein Herrenabend, ja. Im Smoking.«

»Sind Sie hingegangen?«

»Ich habe mich kurz gezeigt.«

»Nachdem Sie Ihre Frau in einen Zustand versetzt hatten, der es ihr unmöglich machte, das Haus zu verlassen?«

»So war es. Unter dem Vorwand, sie wirke sehr nervös – was stimmte –, gab ich ihr ein Mittel, das in Wirklichkeit ein starkes Schlafmittel war. Dann brachte ich sie zu Bett und schloß sie in ihr Zimmer ein.«

»Und gingen selbst zu der Verabredung?«

»Zur vereinbarten Zeit war ich wieder zu Hause. Ich brauchte nur die Tür aufzumachen, die Sie kennen, jene vom Wartezimmer auf die Straße. An der Mauer stand eine Gestalt. Der Junge erschrak sichtlich. Einen Moment lang glaubte ich, er nehme Reißaus und stürze Hals über Kopf davon, so daß ich ihm hätte nachrennen müssen.«

»Dann haben Sie ihn in Ihre Praxis gebeten?«

»Ja. Ich glaube, ich sagte ihm: ›Möchten Sie einen Moment hereinkommen? Meine Frau fühlt sich nicht gut und wird heute nicht mit Ihnen fahren können.‹«

Maigret stellte sich vor, wie die beiden Männer auf der dunklen Straße standen, Emile mit dem Koffer in der Hand, den beiden Fahrkarten nach Paris in der Tasche, an allen Gliedern zitternd.

»Warum haben Sie ihn hinaufgebeten?«

Bellamy sah ihn erstaunt an, als hätte sich Maigret mit dieser Frage selbst bloßgestellt.

»Ich konnte es ja nicht gut auf der Straße machen.«

»Da waren Sie schon entschlossen ...«

Er schlug nur beiläufig nickend die Augen nieder.

»Es ist sehr einfach, müssen Sie wissen. Viel leichter, als man glaubt!«

»Hatten Sie überhaupt kein Mitleid?«

»Kein Gedanke daran. Auch jetzt noch prallt dieses Wort an mir ab.«

»Aber er liebte sie doch.«

»Nein.«

Es schien ihn zu schaudern. Sein Blick verengte sich, und er sah dem Kommissar böse in die Augen.

»Was Sie sagen, zeigt, daß Sie nichts davon verstehen. Er war verliebt, das will ich gern zugeben. Aber nicht in sie, verstehen Sie? Er kannte sie nicht einmal, wie hätte er sie da lieben können?

Hatte er sie etwa krank oder häßlich gesehen, hatte er sie gesehen, wenn sie schwach und weinerlich war? Hatte er ihre Fehler gern, ihre kleinen Gemeinheiten?

Er kannte sie nicht.

Was er liebte, war die Frau in ihr. Eine andere hätte dieselbe Rolle spielen können.

Wissen Sie, was ihn am meisten reizte? Mein Name war es, mein Haus, ein gewisser Luxus, ein gewisses Ansehen. Die Kleider waren es, die sie trug, und das Geheimnis, das sie umgab...

Ja, ich gehe noch weiter, Maigret...«

Zum ersten Mal gebrauchte er diese vertrauliche Anrede.

»Ich bin sicher, daß ich mich nicht täusche. Ohne mich, ohne meine Liebe hätte er sie nicht geliebt.«

»Haben Sie lange mit ihm gesprochen?«

»Ja. In der Lage, in der er sich befand, nicht wahr? – *konnte er sich nicht weigern, mir Rede und Antwort zu stehen.*«

Dann wandte er, etwas beschämt, den Kopf ab.

»Ich mußte es wissen«, gestand er leise. »Ich mußte die Einzelheiten kennen, verstehen Sie?... All die dreckigen, kleinen Einzelheiten...«

Dort drüben, in der Praxis, hinter den Milchglasscheiben.

»Ich brauchte es...«

Ein gewisses Schamgefühl gebot Maigret, ihn am Weiterreden zu hindern.

»Und dann haben Sie ein Geräusch gehört«, unterbrach er ihn. »Wann genau?«

Der andere richtete sich auf, riß sich von seinen dunklen Gedanken los.

»Das wissen Sie natürlich auch. Ich erriet es gestern, als Sie unbedingt meine Praxis sehen wollten, und erst recht, als Sie die Fenster öffneten.«

»Es gab keine andere Erklärung. Sie *mußte* etwas gesehen haben.«

»Was ich Ihnen am ersten Tag gesagt habe, stimmte nicht; die Schwester meiner Frau liebte mich. War es wirklich Liebe? Ich frage mich manchmal, ob es nicht eine Art Wut auf ihre Schwester war...«

Er hing seinen Gedanken nach und versuchte dann, sie in Worte zu fassen.

»Meine Mutter... Jeanne... Lili... Es scheint beinahe, als ob die Frauen es nicht ertragen könnten, eine gewisse Art von Liebe, eine große, intensive Liebe mit anzusehen. Ich war lange Junggeselle. Die Frauen meiner Freunde schenkten mir keine besondere Beachtung. Seit ich mit Odette zusammen war, gab es nur wenige, die sich nicht neugierig, dann irritiert, schließlich herausfordernd zeigten. Ich habe meiner Schwägerin keine Hoffnungen gemacht. Ich habe sie nie ermuntert, sondern so getan, als merke ich nichts. Ich möchte lieber nicht auf Einzelheiten eingehen, aber es ist mir nicht entgangen, daß eine ungestüme Sinnlichkeit in ihr steckte.«

»Hat sie Sie beobachtet?«

»Sie wurde wahrscheinlich neugierig, als sie Licht in meinen Arbeitsräumen sah. Vielleicht dachte sie, ich sei mit einer Frau zusammen. Es wäre, glaube ich, für sie eine Erleichterung gewesen. Es hätte ihre Hoffnungen bestärkt. Ich weiß nicht, wie ich es Ihnen sagen soll: Es hätte ihr insgeheim ein Anrecht auf mich gegeben.

Ich öffnete die Tür, so wie ich es vorhin bei Jeanne gemacht habe. Ich habe es schon seit meiner Kindheit so oft hinter Türen rascheln hören...

Ich habe ihr irgendwas gesagt, ich hätte einen Patienten bei mir, sie solle bitte wieder ins Haus zurückgehen.«

»Hat sie gesehen, wer bei Ihnen war?«

»Ich weiß es nicht. Vielleicht. Das spielt keine Rolle.«

»Und Sie haben sich noch lange mit ihm unterhalten?«

»Etwa eine Viertelstunde. Er bat mich um Verzeihung und versprach, nichts zu unternehmen, um Odette wiederzusehen. Er sprach auch von Selbstmord...«

»Dann ließen Sie ihn die Karte schreiben?«

»Ja.«

»Unter welchem Vorwand?«

Man sah Bellamy an, daß er etwas erstaunt, sogar verärgert war, bei seinem Gegenüber kein größeres Verständnis zu finden. Mit leicht vorwurfsvollem Blick erwiderte er:

»Es bedurfte keines Vorwands. Ich glaube, am Anfang war er sich gar nicht bewußt, was er schrieb.«

»Die Postkarte hatten Sie mitgebracht?«

»Ja.«

»Und Sie waren immer noch im Smoking?«

»Ja.«

»Wann genau haben Sie dann...?«

»Sobald er mit dem Schreiben fertig war. Ich nahm die Karte, um sie in Sicherheit zu bringen.«

Vor Blut in Sicherheit zu bringen!«

»Ich bat ihn, sich auf meinen Platz zu setzen. Er hielt noch die Füllfeder in der Hand. Ich stand hinter ihm und spielte schon seit einer Weile mit dem silbernen Papiermesser. Es war sehr einfach, Monsieur Maigret. Er durfte nicht am Leben bleiben, nicht wahr, erst recht nicht nach den Geständnissen, die ich ihm entlockt hatte.«

Jetzt erst zitterten allenfalls seine Lippen ein wenig, aber der Kommissar ließ sich dadurch nicht irreleiten.

»Er fiel auf den Parkettboden. Ich hatte alles vorausberechnet. Ich hatte Zeit. Dann hörte ich nochmals ein Geräusch hinter der Tür. Ich machte sie nur einen Spaltbreit auf. Meine Schwägerin konnte nur seine Füße sehen. ›Was ist geschehen?‹ rief sie aus. – ›Geh sofort ins Haus zurück. Das ist ein Befehl. Mein Patient ist in Ohnmacht gefallen, das ist alles.‹

Ich weiß nicht, ob sie mir glaubte. Sie wird mir nicht ganz geglaubt haben. Immerhin war meine Erklärung plausibel. Und nun sehen Sie, daß ich recht hatte, als ich Ihnen zu Beginn sagte, Sie hätten keinerlei Beweise, um mich zu belasten. Suchen Sie nur mal die Leiche.«

»Über kurz oder lang finden wir sie immer«, seufzte Maigret.

»Ich habe einen guten Teil der Nacht damit verbracht, sie verschwinden zu lassen und alle Spuren zu beseitigen. Ich ging hinaus, um den Brief einzuwerfen, den ich erwartungsgemäß in seiner Tasche fand, den Brief an seine Eltern. Er hatte auch einen für seine Firma bei sich…«

»Und um die Ansichtskarte an Ihre Schwiegermutter zu schicken.«

»Richtig.«

»Wie hat am nächsten Tag Ihre Frau reagiert, als sie aus ihrem künstlichen Schlaf erwachte?«

»Ich habe ihr nichts gesagt. Und sie hat nicht gewagt, mich zu fragen.«

»Bis jetzt sind weder Sie noch Ihre Frau je darauf zu sprechen gekommen?«

»Nein.«

»Und Sie haben sie jeden Tag gesehen?«

»Ja.«

»Und Sie haben sich nicht verraten?«

»Nein. Sie war sehr müde, sehr deprimiert. Ich habe ihr befohlen, im Bett zu bleiben.«

»Dann sind Sie mit ihrer Schwester zum Konzert gefahren?«

»Ich hatte keinen Grund, etwas an unseren Gewohnheiten zu ändern.«

»Was hatten Sie vor?«

Eine vage Geste.

»Ich weiß nicht.«

»Wann entdeckte Lili das Messer?«

»Das war es also!« rief Bellamy aus. »Ich habe mich von Anfang an gefragt, was Sie auf meine Spur gebracht hat. Ich wußte, daß Ihre Frau in der Klinik lag, in der Lili gestorben ist.«

»Und bevor sie starb, im Fieber geredet hat.«

»Sie erwähnte das Messer?«

»Das Silbermesser.«

»Hat sie mich beschuldigt?«

Das schockierte ihn, verletzte ihn.

»Im Gegenteil, sie hat Sie in Schutz genommen. Sie hat vor der Schwester geschrien, man dürfe Sie nicht festnehmen, Ihre Frau sei das Ungeheuer.«

»Ah!«

»Sie hat auch Worte gebraucht, die die Nonnen vor mir nicht wiederholen wollten, unanständige Wörter angeblich.«

»Das bestätigt, was ich Ihnen anvertraut habe.«

Und trotz allem immer noch neugierig:

»War es Schwester Marie des Anges, die Sie darauf aufmerksam machte?«

»Ja. Ich begriff, daß Ihre Schwägerin im Wagen, als sie mit Ihnen nach Hause fuhr, ein Indiz entdeckt hatte, vermutlich das Messer.«

»Richtig.«

Es war merkwürdig zu sehen, wie er so seinen Fall ganz nach den Grundsätzen der Vernunft betrachtete, wie ein Außenstehender, der ein Problem behandelt, das ihn nicht weiter betrifft, aber Maigret ließ sich nicht darüber hinwegtäuschen, daß er jedes noch so geringe Geräusch im Haus registrierte, und man hätte meinen können, er zähle die Minuten, während derer er noch das Recht hatte, sich wie jeder andere freie Mensch zu verhalten.

»Sehen Sie, welch bedeutsame Folgen ein lächerliches Gefühl haben kann. Ich hatte alle Spuren beseitigt. Es blieb nichts, nicht das geringste Indiz, das gegen mich hätte sprechen können. Nichts als dieses Messer, das ich gereinigt und wieder an seinen Platz auf meinem Schreibtisch gelegt hatte. Weshalb? Aus Gewohnheit, und weil ich die Form seines Griffs sehr mochte. Vielleicht auch, weil ich es immer dort liegen gesehen und während meiner Sprechstunden manchmal unwillkürlich damit gespielt hatte.

Am nächsten Morgen fiel es mir dort wieder auf, und ich mußte die Stirn runzeln, weil es mich an eine ganz bestimmte Bewegung erinnerte.

Ich weiß noch, wie ich es mit einem Taschentuch umwickelte und in meine Tasche steckte. Etwas später nahm ich meinen Wagen. Das Messer störte mich, und ich steckte es in das kleine Fach rechts im Armaturenbrett.

Ich dachte nicht mehr daran, als auf der Rückfahrt von La Roche Lili dieses Fach öffnete, um Streichhölzer herauszunehmen.

Sie griff nach dem Taschentuch und wickelte es auf.

Ich sehe sie vor mir, wie sie mich, mit dem Messer in der Hand, entsetzt anblickte. Natürlich kamen ihr die Füße wieder in den Sinn, die sie am Abend zuvor in meiner Praxis gesehen hatte. Vielleicht war sie besser als angenommen im Bilde? Vielleicht wußte sie auch etwas vom Abenteuer ihrer Schwester? Ich machte eine Bewegung, um ihr das Messer wegzunehmen. Hat sie diese Bewegung mißverstanden? Ich glaube nicht. Sie gehorchte nur einem Impuls. Im Augenblick, als ich das Messer bei seiner Klinge faßte, ließ sie es los und machte die Tür auf.

»Auch sie – das werden Sie mir glauben, nicht wahr? – hätte ich nicht zu töten brauchen.«

»Ich glaube Ihnen.«

»Später erst, Ihretwegen, war ich gezwungen, mich zu verteidigen.«

»Was zu verteidigen?« warf Maigret gemächlich ein.

»Nicht meinen Kopf, wie Sie sich denken können. Nicht einmal meine Freiheit. Das ist es, was ich Ihnen begreiflich machen möchte. Bei den andern wird davon nicht einmal die Rede sein.

Wenn ich nun den Kampf aufgegeben habe, dann nicht seiner Gefahren wegen, nicht weil ich fühlte, daß Sie der Wahrheit nahe sind, sondern weil ich begriff, daß weitere Opfer, zu viele Opfer nötig wären.«

Auch jetzt noch zitterten allenfalls seine Lippen ein wenig, aber der Kommissar ließ sich davon weiterhin nicht ablenken.

»Ich inbegriffen.«

»Vielleicht.«

»Sie haben nicht aus Mitleid aufgehört.«

»Nein. Ich habe kein Mitleid mehr.«

Es war sicher ein fragwürdiges Bild, aber so wie ihn der Kommissar vor sich sah, hatte er den Eindruck eines Mannes, der ganz hohl, innerlich substanzlos, wie ausgeweidet war. Er ging auf und ab, trank, redete wie ein gewöhnlicher Mensch, aber in seinem Innern war nichts mehr, nur sein Verstand arbeitete aus eigener Kraft wie eh und je weiter. So wie sich angeblich bei manchen Enthaupteten die Lippen nach der Hinrichtung noch minutenlang weiterbewegt haben sollen.

»Wozu auch?« sagte er mit einem Blick in Richtung des Zimmers, das er vorhin so sorgfältig abgeschlossen und dessen Schlüssel er noch immer in der Tasche hatte.

Es war übertriebene Gewissenhaftigkeit, die ihn bewog, die Wahrheit bis zum Letzten auszukosten.

»Und doch … Hören Sie … Im Falle des Jungen war ich beinahe im Recht … Ich hätte nur abzuwarten brauchen, bis ich sie einmal zusammen erwischt hätte, und jedes französische Gericht hätte mich freigesprochen. Trotzdem habe ich die Dreckarbeit auf mich genommen, die Leiche verschwinden zu lassen und zu lügen. Ich werde Ihnen sagen, weshalb, so lächerlich es Ihnen auch erscheinen mag: weil man mich gleichwohl verhaftet hätte, weil man mich für ein paar Tage oder Wochen ins Gefängnis gesteckt hätte, weil ich ein paar Tage oder Wochen lang *sie nicht gesehen hätte*.«

Diesmal war es ein bitteres, ein entsetzlich bitteres Lächeln, und er schenkte sich zu trinken ein.

»Nun kennen Sie den Grund. Bei der Kleinen war es dasselbe. Sie hatten sie hier gesehen. Mir war klar, daß Sie sie ausfindig machen würden, daß Sie ihr Fragen stellen und so auf die Wahrheit stoßen würden, die Wahrheit, die für mich immer dasselbe bedeutete: *sie nicht zu sehen* …«

Seine Stimme stockte, er vermochte gerade noch zu sagen:

»Das ist alles.«

Aber er konnte das Glas nicht austrinken, das er in der Hand hielt. Seine Kehle war wie zugeschnürt. Er regte sich nicht mehr, stand stocksteif da, und Maigret schwieg.

Auf dem Kai fuhren Autos vorüber. Jeden Moment konnte eines davon vor dem Haus halten, und dann würde man aus dem Flur die Stimme des Untersuchungsrichters hören.

»Hätte ich meine Ferien nicht in Les Sables verbracht …«, ließ sich Maigret endlich seufzend vernehmen.

Der Doktor nickte zustimmend. Beide dachten sie an die kleine Lucile.

»Geben Sie zu, daß Sie vorhin, unmittelbar nach meinem Anruf...«

»Nein!«

Der Doktor gewann langsam seine alte Kaltblütigkeit zurück.

»Schon vorher. Als Sie anriefen, hatte ich meinen Entschluß bereits gefaßt...«

»Sie dachten daran, erst Ihre Frau und dann sich selbst zu töten?«

»Sehr romantisch, nicht? Doch die Versuchung dazu wird jeder, auch der intelligenteste Mann, mindestens einmal in seinem Leben verspürt haben.«

Zwischen zwei Fingern zückte er ein zusammengefaltetes Papierchen aus der Westentasche und reichte es Maigret.

»Das war für mich bestimmt«, sagte er, tief Atem holend. »Am besten vernichten Sie es gleich, denn ein Unglück ist schnell geschehen. Es ist Zyankali. Schon wieder romantisch, sehen Sie. Sie dürfen ruhig zugeben, daß Sie überzeugt waren, ich würde mich nicht lebendig festnehmen lassen.«

»Kann sein.«

»Noch vor wenigen Minuten ließen Sie mich keinen Moment aus den Augen...«

»Das ist wahr.«

»Ich war mir, wie Sie sehen, auch dessen bewußt. Sie können sich nicht vorstellen, bis zu welchem Grad man sich in meiner Lage jeder Einzelheit bewußt ist.«

Er erhob sich, nahm die Flasche und stellte sie wieder aufs Tablett, ohne sich eingeschenkt zu haben.

»Wozu auch?« sagte er.

Und dann, achselzuckend:

»Bald wird Alain kommen, dieser Einfaltspinsel. Er wird uns nicht glauben, weder Ihnen noch mir. Er wird sich einbilden, daß wir ihn hochnehmen wollen.«

Er ging mit strammem Schritt auf und ab.

»Ich werde leben, Sie werden es sehen! Ich werde alles tun, um am Leben zu bleiben. Es ist aberwitzig, aber ich werde trotz allem eine Hoffnung nicht aufgeben: solange ich lebe, wird sie nicht wagen...«

Er biß sich auf die Lippen, fragte in anderem Ton:

»Glauben Sie, daß man mich anrempeln, mich schlagen wird und was weiß ich noch alles?«

Nun sprach der Mann von Welt aus ihm, dem jede Berührung mit dem gemeinen Volk ein Greuel ist.

»Das sind richtige Dreckbuden, die Gefängnisse, nicht wahr? Wird man mich zwingen, meine Zelle mit anderen Häftlingen zu teilen?«

Maigret mußte sich ein Lächeln verkneifen. Bellamy streifte mit einem zärtlichen Blick die Einbände, die Kunstgegenstände seiner Bibliothek.

»Ich möchte wissen, wo er bleibt...«, sagte er ungeduldig. »Von La Roche hierher braucht man eine halbe Stunde, ohne besonders schnell zu fahren...«

Er trat ans Fenster. Trotz der Mittagszeit tummelten sich Leute am Strand, lagen bleich unter den Sonnenschirmen oder badeten im Wasser, das wie Fischschuppen glitzerte.

»Es dauert lange...«, murmelte er.

Dann:

»Und es wird entsetzlich lange dauern!...«

Unentschlossen wandte er sich der Tür zu. Schließlich platzte er heraus:

»Sagen Sie doch etwas!... Sie sehen doch, daß... daß...«

Da ertönte endlich das ersehnte Klingelzeichen und löste die Spannung.

»Entschuldigen Sie... Ich bitte um Verzeihung... Jetzt fällt mir erst ein, daß Sie noch nicht zu Mittag gegessen haben...«

»Ich habe keinen Hunger.«

Er öffnete ganz normal die Tür.

»Komm herauf, Alain.«

Man hörte den andern, der schon auf der Treppe weiß Gott was murmelte, durch den Flur näherkommen.

»Was sind denn das für Sachen? Ich wollte gerade mit einem Freund zu Mittag essen. Du kennst ihn übrigens. Castaing, aus La Rochelle.«

Ein knapper Gruß an Maigret.

»Was soll hier Spezielles los sein?«

»Ich habe den jungen Duffieux und seine Schwester getötet.«

»Wie?«

»Frag den Kommissar.«

Diesen traf ein wütender Blick des Richters.

»Moment mal! Ich mag es nicht, wenn man mich...«

»Hör zu, Alain. Bleib einen Augenblick ruhig. Ich bin müde. Monsieur Maigret wird es dir später im einzelnen erklären. Du findest die Leiche des jungen Duffieux...«

Ein Zögern. Hatte er nicht doch noch Zeit? Mit Alain de

Folletier war plötzlich wieder ein Anflug von alltäglichem Leben in die Bibliothek gekommen.

Er brauchte nur zu leugnen. Kein Zeuge war bei seinem Gespräch mit dem Kommissar zugegen gewesen. Konnte er nicht seine Schwiegermutter daran hindern zu plaudern, so wie er die andern daran gehindert hatte?

Noch ein paar Worte mehr, und es wäre zu spät.

Und als er sie aussprach, tat er es in so unpersönlichem Tonfall, als würde er irgend etwas Nebensächliches, ein architektonisches Detail erklären.

»Bevor Les Sables die Wasserleitung bekam, hatten wir ein Reservoir auf dem Dach. Das Wasser mußte von Hand hinaufgepumpt werden, um die Badezimmer damit zu versorgen. Das Reservoir ist immer noch an seinem Platz. Die Leiche liegt darin.

Was das Messer betrifft, so wird man es, fürchte ich, nie wiederfinden. Ich habe es in die Kanalisation geworfen. Kommen Sie hierher. Schauen Sie, dort, beim Pinienwald. Sehen Sie den länglichen Wasserwirbel auf dem Meer? Dort führt das dicke Rohr vorbei, das jenseits des Kaps ins Meer mündet… Hast du keinen Durst, Alain?«

»Hör mal…«

»Ich bitte dich! Ich weiß nicht, wie so etwas gewöhnlich vor sich geht. Ich gebe zu, daß es mir sehr zuwider wäre, wenn man mir Handschellen anlegte. Du wirst mich in deinem Wagen nach La Roche bringen und mich dort verhören, wenn du Wert darauf legst, das sofort zu tun. Ein anderer Tag wäre mir allerdings lieber. Du wirst mich persönlich ins Gefängnis bringen…«

Dann wandte er sich wieder an Maigret:

»Ist es üblich, etwas mitzunehmen? Seine Habseligkeiten?«

Er scherzte, und gleichzeitig mußte er sich mit der Hand auf den Tisch stützen.

»Mach vorwärts, Alain.«

Und der Kommissar unterstützte ihn:

»Sie würden besser tun, worum er Sie bittet.«

Sie mußten, einmal auf dem Weg, nur noch an einer weißen Tür vorbei; Maigret ging als letzter.

Bellamy ging in zügigem Tempo voran, und anstatt einen Moment stehenzubleiben, beschleunigte er seine Schritte noch, als sie an der Tür seiner Frau vorbeikamen. Er sah nicht einmal hin. Er ging geradeaus, die Treppe hinunter, blieb dann, plötzlich zögernd, vor dem Kleiderständer stehen, an dem mehrere seiner Hüte hingen.

Er trug einen dunkelblauen Anzug, wozu ihm ein perlgrauer Hut passend erschien. Er zögerte, ob er auch Handschuhe anziehen sollte.

Francis war herbeigeeilt, um die Tür zu öffnen.

Die Szene hatte etwas so Alltägliches, als brächen sie zu einem Spaziergang auf. Die Sonne warf eine helle Fläche auf den Boden der Halle und spielte auf dem Marmor. Das Haus, blitzblank und von Wohlstand zeugend, strömte eine fast unerklärliche Behaglichkeit aus.

Unter der Tür blieb Philippe Bellamy unschlüssig stehen. Das Taxi des Richters wartete am Straßenrand. Man hörte hier und da einen Gesprächsfetzen.

»Fahren Sie mit, Monsieur Maigret?«

Der Kommissar schüttelte den Kopf.

Woraufhin der Doktor in seine Tasche griff und ihm kommentarlos, ohne ihn dabei auch nur anzusehen, etwas in die Hand drückte; dann ging er rasch die paar Schritte zum Wagen.

Man konnte sich denken, daß der Untersuchungsrichter, nachdem er endlich den Kommissar losgeworden war und noch während er es sich auf dem Rücksitz bequem machte, kaum an sich halten konnte, um seinem Ärger über dieses Theater Luft zu machen.

Der Motor lief. Der Wagen glitt davon. Einen Augenblick nur, bevor er in die erste Querstraße einbog, sah man hinter der Scheibe ein Gesicht, zwei fiebrige Augen, die sich auf den hefteten, der allein zurückblieb.

Als Francis sah, daß Maigret nicht wegging, traute er sich nicht, die Tür zu schließen. Und tatsächlich ging der Kommissar wieder ins Haus hinein, den kleinen Schlüssel in der Hand wiegend, der ihm in die Hand gedrückt worden war, den Schlüssel zum Zimmer mit den geschlossenen Vorhängen, in dem kein Laut zu hören war außer dem leichten, gleichmäßigen Atem einer schlafenden Frau.

Tucson (Arizona), 20. November 1947